Les petits enfants
du siècle

Christiane Rochefort   *Photo: Éditions Bernard Grasset*

CHRISTIANE ROCHEFORT

Les Petits Enfants du Siècle

Edited with an introduction and notes by

P.M.W. THODY M.A.

Professor of French Literature, University of Leeds

MODERN WORLD LITERATURE SERIES

Nelson

Thomas Nelson and Sons Ltd
Nelson House   Mayfield Road
Walton-on-Thames   Surrey
KT12 5PL   UK

51 York Place
Edinburgh
EH1 3JD   UK

Thomas Nelson (Hong Kong) Ltd
Toppan Building 10/F
22A Westlands Road
Quarry Bay   Hong Kong

Distributed in Australia by

Thomas Nelson Australia
480 La Trobe Street
Melbourne   Victoria 3000
and in Sydney, Brisbane, Adelaide and Perth

First published in the French language
by Bernard Grasset 1961

English edition with Introduction and Notes
© Harrap Limited 1982

First published in Great Britain by Harrap Limited 1982
(under ISBN 0-245-53684-1)

Second impression published by Thomas Nelson and Sons Ltd 1985

ISBN 0-17-444472-9

NPN 9 8 7 6

Printed in Hong Kong

Contents

Acknowledgment

I am grateful to Éditions Bernard Grasset for enabling me to acquire much of the information in the Introduction by spending a day consulting their *dossiers de presse* on Christiane Rochefort.
P.M.W. Thody

Introduction

Christiane Rochefort was born on 17th July, 1917, the only child of a working class family in the XIVᵉ *arrondissement* in Paris. Her father fought in the International Brigade against Franco in the Spanish Civil War of 1936–1939. She worked as a journalist, and spent fifteen years as press attachée to the Cannes film festival.

Les petits enfants du siècle, Christiane Rochefort's second novel, was published in March 1961, when she was forty-three. Her first, *Le repos du guerrier*, had enjoyed something of a *succès de scandale* in 1958 by its fairly detailed account of the love affair between a well brought up middle-class girl and an alcoholic. By 1961 it had sold 265,000 copies, and in 1962 was made into a film, with Brigitte Bardot in the title role. Although *Les petits enfants du siècle* was not quite so successful in commercial terms, it was on the short list in 1961 for the major French literary prize, *Le prix Goncourt*, and did win the *Prix du roman populiste*, an award given 'à toute œuvre qui peint les gens du peuple et les milieux populaires, à condition que se dégage de cette peinture une tendresse humaine vraie'.[1] It was third in the best-seller lists in May 1961, was issued as a *Livre de Poche* in 1969, was successfully adapted for the French television in May 1974, and enjoys the unusual distinction of being read spontaneously by French school-children and being recommended to them by their teachers.[2]

The story is told by a teenage girl, Josyane Rouvier, who begins with the statement 'Je suis née des Allocations,' and proceeds to relate how her ten brothers and sisters were brought into the world for the same reason. Why did the French have such generous family allowances that readers would be assumed not only to understand an opening sentence like this, but also to find Josyane's claim quite reasonable?

La dénatalité française

In 1800, France had the largest population of any European country outside Russia. There were 28 million French people as against 10.5 million inhabitants of England, Scotland and Wales, 7 million Irish, 10 million Prussians and a population of 17 million in the states that now form modern Italy. By 1911, however, France had fallen to fourth place. There were only 39.6 million French people as against 49.5 million in Austria–Hungary, 45.4 in the United Kingdom and – most important of all from a political and military point of view – 64.9 million in the Germany united under Prussian leadership by Bismarck in 1871.[3]

Nobody knows quite why the population of France did not grow so fast as that of her European neighbours. The French themselves often explain their relatively low birth-rate in the nineteenth and early twentieth centuries by articles 745 and 913 of the *Code civil*, dating back to the Napoleonic Code of 1804. This code itself was the product of the legislation of 1791, and articles 745 and 913 had two aims: to make France a more egalitarian country; and to avoid the reconstitution, through primogeniture, of large landed estates which might threaten the democratic achievements of the Revolution of 1789. They tried to achieve these aims by stipulating that property should be divided equally among the children of the marriage. But, it is argued, articles 745 and 913 had the unintended effect of making French families have fewer children in order to keep their inheritance intact.

This ingenious explanation certainly reinforces the view that when it comes to birth control, the incentive is everything; for at the time artificial contraceptive methods were virtually unknown. Admittedly, the theory is open to the objection that equal division of the inheritance – 'le partage égal du patrimoine' – was common practice in many parts of France before 1789, and did not prevent population increase then. But the decision to have only a small family is not influenced solely by what you can put in your will. Since 1964, almost every industrialized country has seen its birth-rate decline. French people in the nineteenth century may simply have been ahead of fashion in refusing to sacrifice their higher living standards to a lot of children.[4]

However, a low birth-rate is not always an unmixed blessing. Between 1914 and 1918, France mobilized 8.5 million men, of whom 1.4 million were killed. Neither could anyone discount the long-term effects of this slaughter with the blithe 'Une nuit de Paris réparera cela' with which Napoleon I is said to have dismissed the corpses after the battle of Wagram. It is estimated that the first world war reduced the French population by 3,170,600: 1.4 million soldiers killed; 1,770,600 babies not born because the men who should have fathered them were away from home at the front or dead.

As expected, there was a baby boom in 1920: 834,000 live births as against 604,000 in 1913. But by 1936, this had fallen to 600,000 and between 1936 and 1940, 20,000 more French people died every year than were born. The speed with which the French army collapsed in 1940 was not only caused by the German superiority in tanks and aeroplanes. It can be argued that it was the almost biological defence mechanism of a nation which knew that it could not survive another blood-letting of the scale imposed on it between 1914 and 1918.

In 1920, the French government had banned the sale and advertisement of contraceptives. This law remained in force until 1967, and abortion was not legalised until 1975. However, repressive measures were clearly not enough. People had to be encouraged to have babies, and a first step was taken in the *Code de la Famille* in July 1939. Then, in 1945 and 1946, a much more generous system of family allowances was introduced, and it is

these which are evoked in the first sentence of *Les petits enfants du siècle*.

Les allocations familiales

In 1959, the year when one would well imagine Josyane telling her story, the minimum legal wage in the Paris area was 156 old francs an hour.[5] Her father, an unskilled worker in a mustard factory, would thus earn some 33,690 old francs in an average month if he worked a forty-eight hour week. However with eleven children, he would receive a total of 81,240 old francs a month in family allowances, in addition to his basic salary.

9,000 old francs would come in the form of an *allocation de salaire unique*, the money which a woman received if she stayed at home instead of taking a job. In 1959, this began at 1800 old francs a month for a married couple without children, and rose to 9,000 old francs if there were three or more children under school age living at home.

18,480 old francs for the first four children.

48,510 old francs for the next seven children, based on the flat rate of 6,930 francs per child.

5,250 old francs, that is to say five times the additional payment of 1,050 old francs for each child over ten (say, Josyane, Patrick, the twins, Chantal).

The Rouviers would also have had an *allocation de logement*, paid to any *famille nombreuse de plus de quatre enfants*, amounting to 61% of their rent. They would have paid only 30% of the fare if they used public transport. None of these benefits was subject to income tax.[6]

In 1944, before the war had ended, the French birth-rate had increased from 559,000 in 1940 to 627,000. By 1946, it was 840,200, by 1949, 868,600, and did not fall below 800,000 live births a year until 1974. By this time, the population of France had risen from just over forty million in 1940 to an impressive 52,346,000. Perhaps not surprisingly, over two thirds of those asked in 1949 to explain the rise in the birth-rate attributed it to the generosity of the family allowances system.[7]

However, they may well have been wrong to do so, and families like the Rouviers made only a small contribution to the rise in the birth-rate in post-war France. This was much more the result of couples deciding to have two or even three children instead of the traditional one.[8] Moreover, in spite of the fact that a modern Monsieur Rouvier would, in 1980, have still been able to add at least 4,229 francs a month to his basic monthly salary of 3,260 francs, the French birth-rate has steadily declined since 1964. One demographer who compared the birth-rate in England and Wales between 1940 and 1955, when family allowances here were very small, with what was happening at the same time in France, concluded that the *allocations familiales* which made life so unpleasant for Josyane had little measurable effect on French population growth as a whole.[9] From this point of view, the main theme and opening sentence of *Les petits enfants du siècle* were thus immediately understandable to French readers of the 1960's as a result of a powerfully held popular myth.

It is not absolutely clear from the text of *Les petits enfants du siècle* whether Christiane Rochefort herself endorsed this myth or not. Certainly, when in 1978 she published an autobiographical essay entitled *Ma vie revue et corrigée par l'auteur à partir d'entretiens avec Maurice Chavardès*, she strongly opposed the efforts which the French state was making to encourage people to have more children. She would, she said, like to be allowed to register as an official conscientious objector against what she called 'la politique nataliste de cette contrée arriérée'.[10] Nearly all the families that the Rouviers meet are busy having babies for the same reason as they are, and the scene in which Josyane listens to the women talking to one another in the supermarket (pp. 84–89) gives very much the impression of being repeatable in other parts of France. However, this is only an impression, and Christiane Rochefort does not use her novel to try to establish a universal cause and effect relationship between generous family allowances and a high birth-rate. Her concern is more with the kind of society produced by encouraging people to think of themselves solely as potential breeders of the next generation. The original publicity about *Les petits enfants du siècle* described it as a novel dealing with 'la vie dans les H.L.M.' (*Habitations à loyer modéré*), and this is how Christiane Rochefort herself always refers to it in notes about her work. Rather than make the sweeping claim that the French birth-rate rose because of family allowances, she concentrates on the effect which these can produce on one working class family.

Les petits enfants du siècle and French society

Originally, Christiane Rochefort had thought of calling her novel either *Malthus* or *Une vraie petite maman*. Had she chosen the first, the emphasis would have been not only on the problems of the French birth-rate but also on the folly of encouraging anyone to have children anywhere in the world. Thomas Robert Malthus (1766–1834) had argued that while population increased geometrically (2, 4, 8, 16, 32, 64, 128 . . .) food supply could be increased only arithmetically (1, 2, 3, 4, 5, 6). Any measure which tended to increase the birth-rate could thus only hasten the famines and wars which are Nature's way of keeping the population down, and the name of the world's first serious demographer was once common in French in the term for avoiding these catastrophes by scientific birth control methods, *des pratiques malthusiennes*. These are unfortunately lacking both in the Rouvier household and in Josyane's personal experience. She is already pregnant when she marries, and her friend Liliane dies as a result of an illegal abortion.

Une vraie petite maman would have underlined Josyane's un-enviable position as the eldest girl of a large family in a class and country where men and boys were not expected to help in the house, and would also have made the novel end rather less ambiguously. For at the moment, the ending can be seen as either sad or happy. Josyane herself feels happy, since she is going to marry the man she loves, and Philippe is a definite improvement on her father in that he is a qualified technician and not an unskilled labourer. But she comments rather ominously that she will have her baby in time for *la prime*, the bonus payment made to couples who have a child before the mother is twenty-five or within two years of their marriage. Josyane satisfies both conditions, and seems in danger of exchanging her slavery as a 'real little mother' to her brothers and sisters only for a different form of serfdom as a teenage mother staying at home to look after her own children.

The title actually chosen is a double quotation. It evokes the autobiography published in 1836 by the Romantic poet Alfred de Musset, entitled *Confession d'un enfant du siècle*. Musset himself, however, had taken the title of his book from the passage in Luke 16, 8, where 'the lord commended the unjust steward, because he had done wisely. For the children of this world are in their generation wiser than the children of light', and there is a similar implication in the use which both he and Christiane Rochefort make of this Biblical reference. By describing one individual person, each writer sets out to provide a portrait of the society in which this person lives. In each case, it is the standards of this world, with its selfishness, lust and sin, which prevail, rather than the ideals offered by true religion to the 'children of light' who follow its precepts. A society, it is implied, is judged by the kind of children it produces and how it treats them. And by these standards, the France of the nineteen-fifties seems to have few virtues. It encourages people to have children, but then lodges them in noisy and overcrowded rabbit hutches. It can no more detect or develop Josyane's intelligence than it can prevent Patrick from becoming a criminal or make decent provision for those who, like Catherine, are victims of the biological accidents which cause mental deficiency. By its colonial war in Algeria, it sets the vicious an example of how to torment the weak – Patrick playing at being a paratrooper – and sends its young men off to be killed. By its insistence on consumerism, it encourages people to buy a car on hire purchase rather than a bed for their new baby.

This aspect of *Les petits enfants du siècle* encouraged the critic Morvan Lebesque, writing in the traditionally irreverent *Canard Enchaîné* on January 1st, 1962, to see it as an effective attack on the way capitalist society can survive only by producing a constant supply of captive wage slaves. Thus he wrote:

> Pour réaliser ce beau projet, il fallait que les prolétaires fassent des enfants, des masses d'enfants; on inventa les Allocations qui leur donnèrent l'illusion que les gosses payaient, alors que c'était un petit prêt pour un immense rendu à venir: je te donne quelques millions de francs, et tu me fabriqueras des gosses que j'exploiterai et qui me feront gagner des millions.

The more traditional Left, however, had more than simply reservations about the contribution which the criticism of French society in *Les petits enfants du siècle* might make to the proletariat's eventual victory in the class war. André Stil, for example, in a long review published in the French Communist Party newspaper *L'Humanité*, described the novel as 'écœurant', and explained the enthusiasm of certain bourgeois critics by the fact that they had found 'sous la caution d'une romancière de gauche, la même image calomniatrice du peuple qu'il est de plus en plus difficile à ses ennemis de propager ouvertement'. For, he argued, all that Christiane Rochefort had done was to reproduce the cliché about the working class repeated in every drawing room of the rich XVIe *arrondissement*: that they have children only in order to qualify for family allowances.[11]

Les petits enfants du siècle is also vulnerable to another suggestion that it could well have been written by an author with strong right-wing sympathies. By her constant insistence on how her parents' stupidity recurs in all her brothers and sisters – except for the twins, who are not biologically theirs – Josyane comes close to echoing the very reactionary view that the general level of intelligence in society is bound to come down if people with so low an IQ are encouraged to have so many children.

It would nevertheless be a total misreading of *Les petits enfants du siècle* to see it as consciously encouraging right-wing ideas of any kind. The slogan of the most reactionary government to exist in modern France, the Vichy régime of 1940–1944, was 'Travail, Famille, Patrie'; and even now, people who attack either the family as an institution, or the idea that the French ought to have more children, place themselves so far on the Left of the French political spectrum as virtually to fall off the side. This, in fact, is what Christiane Rochefort does, and her hostility to contemporary French society is directed against all political parties, of the Left as well as the Right. In the immediate context of *Les petits enfants du siècle*, for example, she made it clear that the rather edifying portrait of the Lefranc family did not involve any particular sympathy for the Communist Party. 'Le père Lefranc est triste,' she declared in an interview, 'la mère regrette son taudis, le fils est tué après avoir beaucoup douté. Quant à la fille, elle est puritaine et assez morose.'[12]

The only reason why she had talked about the Lefranc family, she added, was that they were people who asked questions, and the only attitude which she seeks to encourage in her readers is one of criticism and doubt. For she is not, as she insists in *Ma vie revue et corrigée par l'auteur*, an 'écrivain engagé' (politically committed writer), and her views on the possibilities of reform offered by formal bourgeois democracy are made clear by the lay-out as well as by the content of her remarks on the general election of 1978.

Une information de dernière minute . . .

Le 13 mars 1978
au lendemain, du 1er tour des élections législa-
tives en France,

tous les journaux de gauche à droite titrèrent
à la Une:

VICTOIRE!

et c'était vrai: ils avaient tous gagné

et nous

on avait tous perdu.[13]

The impression given both by her autobiographical essay and by her other novels is that the only political party likely to win her support would be one which sought to abolish motor-cars,

motorways, supermarkets, marriage, schools, the family, large
towns, television sets, bureaucracy, war, private property and the
French middle class. It is consequently something of a reassurance
to discover that there is a cause with practical and realisable aims
of which she does approve: *Le Mouvement de Libération de la Femme*.
Indeed, it is in this context that her remark about *Les petits enfants
du siècle* being 'officiellement, un livre comique'[14] is best
approached.

Humour, feminism and the liberation of children

In the first chapters of *Les petits enfants du siècle* the narrative moves
very quickly, the jokes as well as the children come thick and fast,
and the reader is almost as overwhelmed as Josyane herself by the
speed with which the Rouvier reproduction machine moves into
action. Once Josyane meets her adored Philippe, however, the
pace slackens, her sense of humour seems to desert her, and she
falls into the very trap denounced in *Les Stances à Sophie*, the novel
published immediately after *Les petits enfants du siècle*, in 1963. In it,
Christiane Rochefort insisted that women are constantly tricked
by their sexual urges into seeing men as the lords of creation which
they so obviously are not, and there is a disconcerting similarity in
Les petits enfants du siècle between the sentimental magazines which
Chantal reads to her mother to console her for the fact that the
birth of her eleventh child has put her more or less permanently to
bed, and the tone in which Josyane talks about her discovery that
love is all. But until this happens, and so long as Josyane remains a
detached and ironical observer, *Les petits enfants du siècle* is a
masterpiece of a very unusual kind: one whose humour and satire
are on the side of the angels.

For while the pioneers of women's liberation, from George Sand
to Simone de Beauvoir and from Mary Wollstonecraft to Betty
Friedan, have tended to be rather short on humour, Josyane's
description of her father and brother stands out as an example of
just how to use laughter to make a very serious point. For
Josyane's father can do nothing but drive a car badly and sit in

front of the telly. He cannot put up a shelf, do the simplest mathematical calculation, or find a job that is either interesting or well-paid. Yet he looks fondly at his moronic son Patrick as 'celui qui le continuait, en somme', with no awareness of how unintentionally accurate this description is. He insists on his rights as a man, which consist mainly of having his meals served on time and never doing a hand's turn in the kitchen. But when his precious car arrives, he is out there with the other men, 'le spontex rageur' in a mad competition to make his vehicle shine brighter than his neighbour's.

However, not all the humour in *Les petits enfants du siècle* stems from such potentially liberating spectacles of male stupidity. Christiane Rochefort's account of how children behave is an eminently realistic one, and is consequently funny because of the contrast which it provides with the traditional and stereotyped portrait of family life given by Enid Blyton or in *The Happy Venture Readers*. But it is also funny because of the accuracy of the self-portrait which Josyane provides by the way she tells her story. Elder sisters have a notoriously keen eye for the idiotic behaviour of their younger brothers, and Josyane's description of Patrick's ineffectual attempts to build a hut makes us laugh both because this is how small boys do carry on and how their worldly-wise sisters see them.

The accuracy with which Christiane Rochefort pinpoints the way children behave towards one another is also an interesting antidote to some of the progressive ideas which she herself has put forward in her other books. In 1975, for example, she published another novel, *Encore heureux qu'on s'en va vers l'été*, and in 1978 made the ideas underlying it explicit in an essay entitled *Les enfants d'abord*. Her general thesis is that adult society exploits children, who would be very much better off if left completely alone and allowed to develop without any interference from grown-ups. Sympathetic though Josyane might occasionally have felt towards such views, it would be more interesting to hear what she had to say in one of her more sardonic moods. For while there can be no possible objection to the main underlying message of *Les petits enfants du siècle* – you should have children for their own sake and only if you can look after them properly – a community which left Chantal or Patrick to their own devices would not be a very healthy place for anyone.

The language of *Les petits enfants du siècle*

Traditionally, the French used in literary works is a formal, grammatically correct and occasionally rather stilted language. The French spoken by most French people is rather different, and *Les petits enfants du siècle* is an attempt to bridge the gap.

Syntactically, it does this by reducing the number and complexity of grammatical relationships within the sentence. 'Eux pourvu qu'on y soit à l'école, garés, ça suffisait. Quand Patrick s'était fait foutre à la porte par exemple, là ça avait chauffé' writes Josyane on page 25, summarising her parents' attitude towards education: 'As far as they were concerned, as long as we were out of the way, at school, that was all they wanted. When Patrick had been kicked out of school, then there really had been a row.' The *Eux* replaces *Les parents*, without the formal antecedent being mentioned. The *y* announces the noun *école* well in advance, so that neither the listener nor the speaker shall lose track of what is happening. Although *garés* obviously refers to some phrase such as *nous, les enfants*, there is no plural noun with which it officially agrees. The indefinite *on* refers to every child, and reflects the tendency to avoid the more complicated verbal forms required by the first person plural. The word *foutre* fulfils almost the same universal function as its English equivalent, and the *là* is a word which reminds readers of what has just happened in case they have not been able to follow the sequence of ideas. In both sentences *ça* is the word which can refer to as well as anticipate any event. Although both sentences are immediately clear, this clarity does not come from the precise interplay of grammatical relationships which officially characterised the classical French of the seventeenth and eighteenth centuries. The clarity is produced by the frequency with which pronouns are used and repeated, as though native speakers felt that they can no longer rely upon the people listening to them to hold in their mind the grammatical references and relationships which bind a written sentence together.

A 'translation' into formal French would give something like: 'Quant à mes parents, ils étaient contents de nous savoir à l'école, à l'abri de tout danger. Lorsque Patrick s'en était fait exclure, mes parents avaient été très en colère contre lui'. It is more elegant, but not necessarily clearer, and nobody would actually say it. 'Elle y était allée à l'école' (p. 26), like 'Des fautes ça j'en faisais' (p. 25) are other instances of this apparently over-generous use of the adverbial pronouns *en* and *y*, a device which has always enabled the French to bolt their sentences together and make their meaning clearer. Similarly, 'C'était une vieille traction ce qu'on avait' (we had an old Citroën) also illustrates both this need to keep the important word of the sentence well in the listener's mind and the almost total disappearance from spoken French of the first person plural of the verb. 'Nous on mettait de la moutarde dans tout' (p. 10) writes Josyane, or 'Papa et moi on se regarda' (p. 146) – perhaps understandably, when you think of the difficulty of 'Papa et moi, nous nous sommes regardés' or 'nous nous regardâmes, Papa et moi'. Christiane Rochefort's Josyane reflects a similar reluctance of spoken French to embark on complicated grammatical constructions when she replaces 'Nous n'avions pas encore fini de régler le prix de la machine' by the inaccurate but economical 'la machine n'était même pas finie de payer' (p. 9) or 'cinq tout petits enfants dont elle avait à s'occuper' by 'avec cinq tout petits enfants à s'occuper' (p. 9). It is this readiness to ignore formal grammatical rules in favour of short, compressed sentences which gives *Les petits enfants du siècle* its readability and attractive spontaneity, as well as its value as a guide to how people spoke in the nineteen-sixties.

It would nevertheless be misleading to describe the language which Christiane Rochefort puts into Josyane's mouth as a wholly accurate reflection of the linguistic performance and ability of French teenagers. Admittedly, by making her always write *la mère* instead of *ma mère*, Christiane Rochefort reproduces a common turn of speech; but by so doing she also indicates how completely Madame Rouvier is absorbed by her role as a mother, and how little a personal relationship Josyane feels she has with the woman who might be her mother if she were not always busy looking after either Chantal or the latest addition to the Rouvier litter. Christiane Rochefort conscientiously reproduces the way French native speakers omit the *ne* in a negative clause – 'j'aime pas les gosses', 'c'est pas croyable', 'je boufferais pas' – and also notes the tendency to leave a preposition apparently hanging in the air when she writes about 'les flics, qui, eux, sont organisés pour' (p. 112), the cops who are organised to do that (i.e. look after the likes of Patrick), or uses expressions such as 'cogner dessus' (to bash). But however interested the fictional Josyane may have been in parsing and clause analysis when she was a little girl, no real-life counterpart who, like her, had left school at sixteen, would be able to use language as she does. Not only would a real Josyane have misspelt most of the words used in *Les petits enfants du siècle*; she would never have shown the mastery of verbal forms, and especially of the subjunctive, which Christiane Rochefort gives to Josyane.

Thus not only does Josyane tell most of her story in the non-conversational, literary tense of the past definite. When she tells how one of the twins 'reçut une baffe mais s'en foutit' (reacted imperviously to a clip on the head) she shows an ability to handle irregular verbs totally beyond the reach of most French teenagers, either at Bagnolet or even in smarter suburbs. The imperfect of the subjunctive likewise holds few terrors for Josyane, who, on p. 136, writes 'si gentil qu'il fût' with no apparent difficulty. Neither does she have any difficulty with the past anterior after *dès que* when she talks about what she felt after Philippe had first made love to her, 'dès qu'il m'eut prise' (p. 153). It is no criticism of *Les petits enfants du siècle* to point out that the language in which it is written is further from teenage conversational French than at first appears. All literature is based on an illusion, and the direct transcription of a life-story written or dictated by an actual seventeen-year-old would be difficult to understand because of its lack of fluency and of grammatical accuracy. It would also be extremely dull because of its lack of linguistic variety.

What is true of the syntax which Josyane is made to use also applies to her vocabulary. Admittedly it is significant that the first word that Nicolas comes out with is *con*, and that *merde* and *foutre* – also less strong than their dictionary equivalents in English – provide the basis for most of the remarks exchanged by the Rouvier family. However, *Les petits enfants du siècle* has none of the linguistic poverty which is so depressing a factor of the way many people actually do speak and write. There are, of course, slang expressions: *avoir les jetons*, for 'to be terrified', *rabioter* for 'to fiddle', the use of *cloche* as an adjective meaning 'grotty', of *clébard* for dog and of *tintin* placed at the end of a sentence to mean 'nothing doing'. However, the language in which *Les petits enfants du siècle* is written is here again both richer, more complex and more satisfying than it would be if Christiane Rochefort had limited herself to the vulgarity and repetitiveness of most genuinely popular speech. Instead, she offers in Josyane a character who makes fun of language when she talks about the 'constat des dégâts vestimentaires' (p. 91) carried out by the parents after a fight among the children, and is both accurate and effective when she evokes the pleasures of a morning spent in bed in 'la matinée s'étirait, bienheureuse' (p. 7) or describes how, when driving, 'le père venait de se faire agonir par un quinze tonnes' (p. 53); (had just had a right earful from a fifteen-ton lorry).

The language in which *Les petits enfants du siècle* is written is thus not so close a reflection of modern spoken French as might at first appear. Neither does it make the book difficult to understand, or maintain for very long the illusion that this is how a seventeen-year-old, working-class girl would write. Christiane Rochefort's technique of narration uses a number of devices made popular by the interior monologue, and it is interesting to compare the way she writes with the much more formal personal narrative in, for example, Gide or Mauriac. The sentences are much shorter, there is virtually no analysis, in the opening section at any rate, of the effect which incidents produce on Josyane, and the frequent omission of inverted commas when recording either direct or indirect reported speech also gives an impression of immediacy that is absent from the more traditional style of the personal narrative. In the notes to the *Livre de Poche* edition, the reader is told that 'Cette sœur de Gavroche[15] n'a ni les yeux ni la langue dans sa poche', and the character revealed by the way Josyane uses languages offers a healthy antidote to the conventional nineteenth-century view of what children were like. For as Roland Barthes remarked, French society had not yet discarded the nineteenth-century myth which presented childhood as an age 'où on ne savait être lucide et gouailleur, mais seulement "sincère", "charmant" et "distingué"'. The language of *Les petits enfants du siècle*, though richer and more accurate than that likely to be used by any child other than a genius like Rimbaud, helps to destroy that myth. What it does is to render that clearsighted ability to make fun of official adult attitudes which is such an attractive as well as such a disturbing aspect of how children see the world.

Conclusion

Les petits enfants du siècle is a controversial book. Kléber Haedens, reviewing it in 1961, echoed a frequently expressed opinion when he wrote that it was 'rigoureusement pour adultes blindés' (strictly for armour-plated adults), and not everyone will agree with the change in public standards that has led a book with so free and easy an attitude to under-age as well as to teenage sexuality to become recommended reading – albeit as a cautionary tale – for school-children. In what one hopes was a throw-away comment in her autobiography, Christiane Rochefort said that when she started to write *Les petits enfants du siècle* she had intended to give it an optimistic ending by making Josyane end up in the rue Blondel, roughly the French equivalent of Soho. Hesitant though one may feel about what finally happens, it is difficult to see how Christiane Rochefort would have shown more optimism by making Josyane become a prostitute. One would also have liked a book inspired, as it is, by the essentially moral idea that children are to be treated as people and not as a means of acquiring money, to do more than hint that there are other disadvantages to indiscriminate sexuality apart from being made pregnant by the nicest boy you know. Another French critic argued that *Les petits enfants du siècle* was 'le type même du faux roman', [16] and although there is a good case for practising literary criticism on what one might call 'good bad books' [17], it is idle to blink the fact that you need to look fairly hard to find in *Les petits enfants du siècle* that 'tendresse humaine vraie' officially required in books that win the *Prix du roman populiste*.

Yet it is a good 'good bad book', and one that is especially praiseworthy for having totally escaped the influence of the literary movement fashionable in France at the time it was published. For the nineteen-fifties and early nineteen-sixties were dominated in French literary thinking by the views of Alain Robbe-Grillet and other theoreticians of what was then known as 'le nouveau roman'. Their doctrine was that the novel should, as an art form, be totally freed from its traditional concern with creating character, analysing and criticising society, expressing ideas, describing how people talked, or interesting the reader in what was going to happen next. Instead, they argued, the novelist should limit himself to the minute description of inanimate physical objects.

Fortunately, Christiane Rochefort's anarchistic and original turn of mind led her to write a novel which, by its wealth of human interest, had all the qualities which these literary Malvolios wished to exclude from fiction. Precisely because it contains all the qualities of which Robbe-Grillet disapproved, *Les petits enfants du siècle* is a most enjoyable read, as well as a novel that makes you think.

Notes to the Introduction

[1] This prize was established in 1931, and first awarded to Eugène Dabit.

[2] I am grateful to my friend and former colleague Max Veyrier both for this item of information and for finding me the details about family allowances given in notes 6 and 9.

[3] See Colin Dyer, *Population and Society in Twentieth Century France*, Hodder and Stoughton, London, 1978, p. 5. I am also grateful to my friend and colleague Maurice Kirk for additional information on French demography.

[4] See p. 13 of *La Population de la France*, special number of *Population, Publications de l'Institut National d'études démographiques*, Paris, 27 rue du Commandeur, for a development of this particular idea, as well as the remarks made by Yves Charbit on p. 7 of *La France et sa population aujourd'hui*, *Les Cahiers français*, no. 184, Jan.–Feb. 1978.

[5] The exchange rate in July 1959 was 1,362 old francs to £1. In 1959 a new Cortina cost £650.

[6] This information about the workings of the family allowance system was generously provided by the *Caisse Nationale des Allocations Familiales*. The general principle on which this system now works is that each child in a family of three or more children should entitle its parents to 33% of a notional 'salaire de base'.

[7] Cf. Dyer, op. cit. p. 153–4.

[8] Dyer, op. cit. p. 135.

[9] See *La France et sa population aujourd'hui*, p. 28. The figures for the 1980 rates were also provided by the *Caisse Nationale des Allocations Familiales*. It could be argued that family allowances would encourage people to have babies if they were linked to the Gross National Product. Between 1949 and 1972, this increased by 185%; the purchasing power of family allowances rose by 20%.

[10] *Ma vie revue et corrigée par l'auteur à partir d'entretiens avec Maurice Chavardès*, Stock, 1978, p. 176.

[11] *L'Humanité*, 13.4.61. The accuracy of André Stil's diagnosis can be judged by the invitation to the readers of the extreme right-wing *Défense de l'Occident* in April 1961 to be grateful to Christiane Rochefort for having shown that 'le peuple est bête, de plus en plus bête'.

[12] See *Les Ecoutes du Monde*, 3.3.61.

[13] *Ma vie revue et corrigé par l'auteur*, p. 221.

[14] See her interview in *Libération*, 31.1.61.

[15] Gavroche is a street urchin in Victor Hugo's *Les Misérables* (1862). He is characterised by ready, irreverent wit and a constant cheerfulness.

[16] Jean Guiraud in *Les Dernières Nouvelles d'Alsace*, 19.3.61.

[17] For the term 'good bad poetry' from which the expression 'good bad book' is derived, see George Orwell's essay on Rudyard Kipling in Volume 2 of his *Collected Essays, Journalism and Letters of George Orwell*, Secker and Warburg, 1968, pp. 184–197, p. 195: 'A good bad poem is a graceful monument to the obvious'. Like good bad poems, good bad books have a strong story line, powerfully depicted characters, but an ambiguous, defective or non-existent value system.

c'est pas de veine - hard luck!

reserre - shed
gaine -

I

public holiday

JE suis née des Allocations et d'un jour férié
dont la matinée s'étirait, bienheureuse, au son
de « Je t'aime Tu m'aimes » joué à la trom-
pette douce. C'était le début de l'hiver, il faisait
bon dans le lit, rien ne pressait.

A la mi-juillet, mes parents se présentèrent
à l'hôpital. Ma mère avait les douleurs. On
l'examina, et on lui dit que ce n'était pas
encore le moment. Ma mère insista qu'elle
avait les douleurs. Il s'en fallait de quinze bons
jours, dit l'infirmière; qu'elle resserre sa gaine.

Mais est-ce qu'on ne pourrait pas déclarer
tout de même la naissance maintenant ?
demanda mon père. Et on déclarerait quoi ? dit
l'infirmière : une fille, un garçon, ou un veau ?
Nous fûmes renvoyés sèchement.

Zut dit mon père c'est pas de veine, à quinze
jours on loupe la prime. Il regarda le ventre de
sa femme avec rancœur. On n'y pouvait rien.

miss out on the allowance

On rentra en métro. Il y avait des bals, mais on ne pouvait pas danser.

Je naquis le 2 août. C'était ma date correcte, puisque je résultais du pont de la Toussaint. Mais l'impression demeura, que j'étais lambine. En plus j'avais fait louper les vacances, en retenant mes parents à Paris pendant la fermeture de l'usine. Je ne faisais pas les choses comme il faut.

J'étais pourtant, dans l'ensemble, en avance : Patrick avait à peine pris ma place dans mon berceau que je me montrais capable, en m'accrochant, de quitter la pièce dès qu'il se mettait à brailler. Au fond je peux bien dire que c'est Patrick qui m'a appris à marcher.

Quand les jumeaux, après avoir été longtemps égarés dans divers hôpitaux, nous furent finalement rendus — du moins on pouvait supposer que c'était bien eux, en tout cas c'était des jumeaux — je m'habillais déjà toute seule et je savais hisser sur la table les couverts, le sel, le pain et le tube de moutarde, reconnaître les serviettes dans les ronds.

« Et vivement que tu grandisses, disait ma mère, que tu puisses m'aider un peu. »

Elle était déjà patraque quand je la connus; elle avait une descente d'organes; elle ne pouvait pas aller à l'usine plus d'une semaine de suite, car elle travaillait debout; après la naissance de Chantal elle s'arrêta complètement, d'ailleurs on n'avait plus avantage, avec le salaire unique, et surtout pour ce qu'elle gagnait, sans parler des complications avec la Sécurité à chaque Arrêt de Travail, et ce qu'elle allait avoir sur le dos à la maison avec cinq tout petits enfants à s'occuper, ils calculèrent qu'en fin de compte ça ne valait pas la peine, du moins si le bébé vivait.

A ce moment-là je pouvais déjà rendre pas mal de services, aller au pain, pousser les jumeaux dans leur double landau, le long des blocs, pour qu'ils prennent l'air, et avoir l'œil sur Patrick, qui était en avance lui aussi, malheureusement. Il n'avait pas trois ans quand il mit un chaton dans la machine à laver; cette fois-là tout de même papa lui en fila une bonne : la machine n'était même pas finie de payer.

Chantal finalement survécut, grâce à des soins si extraordinaires que la mère en demeura à jamais émerveillée, et ne se lassait pas de raconter l'histoire aux autres bonnes femmes, et comment elle avait poussé un cri en voyant sa petite fille toute nue au milieu des blocs de glace, et que le médecin lui avait dit qu'il n'y avait pas d'autre moyen de la sauver, et en effet. A cause de cela, elle avait une sorte de préférence pour Chantal, autant qu'on pouvait parler de préférence avec elle; mais enfin elle s'en occupait complètement, tandis que les autres

étaient pour moi, y compris par la suite Catherine, même lorsqu'elle était encore un tout
petit bébé.

Je commençais à aller à l'école. Le matin
je faisais déjeuner les garçons, je les emmenais
à la maternelle, et j'allais à mon école. Le midi,
on restait à la cantine. J'aimais la cantine, on
s'assoit et les assiettes arrivent toutes remplies;
c'est toujours bon ce qu'il y a dans des assiettes
qui arrivent toutes remplies; les autres filles en
général n'aimaient pas la cantine, elles trouvaient que c'était mauvais; je me demande ce
qu'elles avaient à la maison; quand je les ques-
tionnais, c'était pourtant la même chose que
chez nous, de la même marque, et venant des
mêmes boutiques, sauf la moutarde, que papa
rapportait directement de l'usine; nous on
mettait de la moutarde dans tout.

Le soir, je ramenais les garçons et je les
laissais dans la cour, à jouer avec les autres.
Je montais prendre les sous et je redescendais
aux commissions. Maman faisait le dîner, papa
rentrait et ouvrait la télé, on mangeait, papa
et les garçons regardaient la télé, maman et
moi on faisait la vaisselle, et ils allaient se
coucher. Moi, je restais dans la cuisine, à faire
mes devoirs.

Maintenant, notre appartement était bien.
Avant, on habitait dans le treizième, une sale
chambre avec l'eau sur le palier. Quand le

coin avait été démoli, on nous avait mis ici;
on était prioritaires; dans cette Cité les familles
nombreuses étaient prioritaires. On avait reçu
le nombre de pièces auquel nous avions droit
selon le nombre d'enfants. Les parents avaient
une chambre, les garçons une autre, je couchais
avec les bébés dans la troisième; on avait une
salle d'eau, la machine à laver était arrivée
quand les jumeaux étaient nés, et une cuisine-
séjour où on mangeait; c'est dans la cuisine, où
était la table, que je faisais mes devoirs. C'était
mon bon moment : quel bonheur quand ils
étaient tous garés, et que je me retrouvais seule
dans la nuit et le silence ! Le jour je n'entendais
pas le bruit, je ne faisais pas attention; mais le
soir j'entendais le silence. Le silence commençait à dix heures : les radios se taisaient, les
piaillements, les voix, les tintements de vais-
selles; une à une, les fenêtres s'éteignaient. A
dix heures et demie c'était fini. Plus rien. Le
désert. J'étais seule. Ah ! comme c'était calme
et paisible autour, les gens endormis, les fenêtres noires, sauf une ou deux derrière lesquelles
quelqu'un veillait comme moi, seul, tranquille,
jouissant de sa paix! Je me suis mise à aimer
mes devoirs peu à peu. A travers le mur, le
grand ronflement du père, signifiant qu'il n'y
avait rien à craindre pour un bon bout de
temps; parfois un bruit du côté des bébés :
Chantal qui étouffait, couchée sur le ventre;

Catherine qui avait un cauchemar; je n'avais qu'à les bouger un peu et c'était fini, tout rentrait dans l'ordre, je pouvais retourner.

Tout le monde disait que j'aimais beaucoup mes frères et sœurs, que j'étais une vraie petite maman. Les bonnes femmes me voyaient passer, poussant Catherine, tirant Chantal, battant le rappel des garçons, et elles disaient à ma mère que j'étais « une vraie petite maman ». En disant ça elles se penchaient vers moi avec une figure molle comme si elles allaient se mettre à couler, et je me reculais pour me garer. Les bonnes femmes étaient pleines de maladies, dont elles n'arrêtaient pas de parler avec les détails, spécialement dans le ventre, et tous les gens qu'elles connaissaient étaient également malades.

La plupart avaient des tumeurs, et on se demandait toujours si c'était cancéreux ou pas, quand c'était cancéreux ils mouraient, et on donnait pour la couronne. Maman n'avait pas de tumeur, elle avait de l'albumine et avec sa grossesse il fallait qu'elle mange absolument sans sel, ce qui compliquait encore tout, parce qu'on faisait deux cuisines.

Quand le bébé mourut en naissant, je crois que je n'eus pas de véritable chagrin. Cela nous fit seulement tout drôle de la voir revenir à la maison sans rien cette fois-là. Elle non plus ne s'y habituait pas, elle tournait sans savoir

quoi faire, pendant que le travail autour
s'accumulait. Puis elle s'y remit petit à petit,
et nous avons tous fini par oublier le pauvre
bébé.

Chantal alors marchait et commençait à
parler, elle tirait sur la robe de ma mère et
n'arrêtait pas de répéter : où ti fère, où ti
fère ? On le lui avait promis. Ah ! laisse-moi
donc tranquille, répondait la mère comme
toujours, tu me fatigues ! Donne ton nez que
je te mouche. Souffle. Chantal était enrhumée :
l'hiver, elle n'était qu'un rhume, d'un bout à
l'autre, avec de temps en temps pour varier
une bronchite ou une sinusite. Cette année-là
les jumeaux avaient la coqueluche.

Pour faire tenir Chantal tranquille, je lui
dis que le Petit Frère n'avait pas pu venir, il
n'y avait pas assez de choux, mais il viendrait
sûrement la prochaine.

« Parle pas de malheur, dit ma mère, j'ai
assez de tracas avec vous autres ! »

Le vendeur vint reprendre la télé, parce
qu'on n'avait pas pu payer les traites. Maman
eut beau expliquer que c'est parce que le bébé
était mort, et que ce n'était tout de même pas
sa faute s'il n'avait pas vécu, et avec la santé
qu'elle avait ce n'était déjà pas si drôle, et si
en plus elle ne pouvait même pas avoir la télé,
le truc fut bel et bien embarqué, et par-dessus
le marché quand papa rentra il se mit à gueuler

qu'elle se soit laissé faire, ces salauds-là dit-il
viennent vous supplier de prendre leur bazar,
ils disent qu'ils vous en font cadeau pour ainsi
dire et au moindre retard ils rappliquent le
récupérer; s'il avait été là lui le père le truc
y serait encore.

« Tiens avec ça que t'es plus malin que les
autres, lui dit-elle, y a qu'à voir la vie qu'on
a », et là-dessus ils partirent à se reprocher tout
depuis le début.

C'était une mauvaise passe. Ils comptaient le
moindre sou.

Je sais pas comment tu t'arranges disait le
père, je sais vraiment pas comment tu t'arranges, et la mère disait que s'il n'y avait pas le
PMU elle s'arrangerait sûrement mieux. Le
père disait que le PMU ne coûtait rien l'un
dans l'autre avec les gains et les pertes qui
s'équilibraient et d'ailleurs il jouait seulement
de temps en temps et s'il n'avait pas ce petit
plaisir alors qu'est-ce qu'il aurait, la vie n'est
pas déjà si drôle. Et moi qu'est-ce que j'ai
disait la mère, moi j'ai rien du tout, pas la plus
petite distraction dans cette vacherie d'existence
toujours à travailler du matin au soir pour que
Monsieur trouve tout prêt en rentrant se mettre
les pieds sous la table, Merde disait Monsieur
c'est bien le moins après avoir fait le con toute
la journée à remplir des tubes d'une cochonne-
rie de moutarde et arriver crevé après une

heure et demie de transport si encore il avait
une bagnole ça le détendrait un peu, Ah! c'est
bien le moment de penser à une bagnole,
partait la mère, ah! c'est bien le moment oui!
quand on n'arrive même pas à ravoir la télé et
Patrick qui n'a plus de chaussures avec ses
pieds qui n'arrêtent pas de grandir, C'est pas
de ma faute dit Patrick, Toi tais-toi dit le
père ça ne te regarde pas, Mais j'ai mal aux
pieds dit Patrick, Tu vas te taire, oui? Le soir
on ne savait pas quoi foutre sans télé, toutes
les occasions étaient bonnes pour des prises de
bec. Le père prolongeait l'apéro, la mère l'en-
gueulait, il répondait que pour ce que c'était
marrant de rentrer pour entendre que des ré-
criminations il n'était pas pressé et ça recommençait. Les petits braillaient, on attrapait des
baffes perdues.

J'ai horreur des scènes. Le bruit que ça fait,
le temps que ça prend. Je bouillais intérieure-
ment, attendant qu'ils se fatiguent, qu'ils se
rentrent dans leurs draps, et que je reste seule
dans ma cuisine, en paix.

*

Un jour, une dame vint à la maison, et
demanda si les enfants allaient au catéchisme.
C'était un jeudi, après le déjeuner, j'habillais
les petites pour les sortir. Maman repassait; la

dame expliquait les avantages qu'elle aurait à envoyer les enfants au catéchisme; maman n'avait pas d'avis; si Patrick était aux louveteaux, dit la dame, il irait en sorties le jeudi et le dimanche. Maman débrancha le fer; elle demanda si les jumeaux étaient assez grands aussi, pour ces sorties du jeudi et du dimanche. Par contre, de moi elle avait besoin. La dame expliqua que le patronage n'était pas obligé, il suffisait que j'aille au catéchisme une heure par semaine, après la classe. Ma mère ne savait pas, il faudrait qu'elle demande au père. Je finissais de boutonner le manteau de Chantal. Je dis : « Moi je voudrais y aller au catéchisme. »

Ma mère me regarda étonnée. La dame me fit un tel sourire que je faillis regretter. Elle ressemblait à un fromage blanc.

On ne trouva rien contre. « Bah ! comme ça ce sera fait », dit ma mère.

Le lundi, en sortant de l'école, je prenais à gauche au lieu d'à droite, et je rentrais une heure et demie plus tard à la maison, quand tout était prêt. Ça valait la peine.

La maîtresse ouvrit le livre, et dit :

« Qu'est-ce que Dieu ? Dieu est un pur esprit, infiniment parfait. »

Jamais de toute ma vie je n'avais entendu un truc aussi extraordinaire. Dieu est un pur esprit infiniment parfait. Qu'est-ce que ça

pouvait être ? Je restais la bouche ouverte.
J'avais perdu le fil de la suite. Je me réveillai
en entendant la maîtresse qui demandait, plus
fort, en nous regardant d'un air sévère :
« Qu'est-ce que Dieu ?

— Dieu est un pur esprit infiniment parfait », répondirent les autres tranquillement. Je
n'avais pas pu répondre avec elles, je ne comprenais pas la phrase, pas un seul mot. Ça
commençait mal.

La leçon s'acheva. Je ne l'avais pratiquement
pas entendue. Je me levai comme tout le
monde, je marchai jusqu'à la maison, j'étais
préoccupée.

Je ne sais pas ce qui s'est passé ce soir-là à
la maison, qui a gueulé et sur qui, ce qu'on a
mangé, et où est passée la vaisselle. Je retournais la phrase dans tous les sens, cherchant par
quel bout la prendre; et je n'y arrivais pas.
Blanc, lisse et fermé comme un œuf, le Pur
Esprit Infiniment Parfait restait là dans ma
tête, je m'endormis avec sans avoir pu le casser.

Mlle Garret ne pondait pas un œuf toutes
les semaines. En général c'étaient, sauf l'histoire
sainte qui était plus jolie que l'histoire non
sainte, et, d'abord, sans dates, des explications
assommantes et compliquées, comme « s'il faut
un ouvrier pour construire une maison, il a
bien fallu un Dieu pour créer le ciel et la
terre. » Je ne voyais vraiment pas pourquoi par

exemple, et j'eus une histoire avec Mlle Garret, qui ne comprenait pas pourquoi je ne comprenais pas, et me dit que je « raisonnais ». C'était bizarre comme discussion, ce n'était pas moi qui raisonnais, mais eux avec leur ouvrier. Mais quand les gens se butent il n'y a rien à faire. Elle me dit que je n'avais pas à chercher à comprendre, mais à savoir par cœur, c'était tout ce qu'on me demandait. Mais moi je ne peux pas réciter par cœur un truc que je ne comprends pas, c'est comme si j'essayais d'avaler un tampon jex. Je m'embêtais, Mlle Garret disait que je faisais « l'esprit fort », et si ce n'avait pas été la promenade toute seule pour rentrer, j'aurais laissé tomber, lorsque, un jour, Mlle Garret nous dit :

« L'homme est composé d'un corps et d'une âme. »

Mystère. A nouveau le truc se déclencha. Je laissai les autres voguer dans les explications de détail, et je contemplai mon second œuf; il avait l'air plus simple que le premier, en tout cas pour la grammaire. C'était le sens qui ne l'était pas. L'homme est composé d'un corps et d'une âme. Et moi ?

« Josyane ? eh bien, Josyane, tu rêves ?

— Est-ce que tout le monde a une âme ?

— Bien sûr », dit Mlle Garret avec un leger haussement d'épaules. J'aurais bien posé d'autres questions mais Mlle Garret n'aimait pas ça, elle s'énervait tout de suite./ J'emportai mon second œuf. J'avais donc une âme, comme tout le monde, Mlle Garret avait été formelle. En un sens, bien que ne sachant pas trop au juste ce que c'était, ça ne m'étonnait pas tellement.

Les jours de catéchisme, Ethel Lefranc, qui n'y allait pas, ramenait Chantal de la maternelle en même temps que son petit frère; les garçons se débrouillaient maintenant, je n'avais qu'à les ramasser dans le terrain en passant.

Il faisait nuit. Presque toutes les fenêtres des grands blocs neufs, de l'autre côté de l'Avenue, étaient éclairées. Les blocs neufs étaient de plus en plus habités. Un bloc fini, et hop on le remplissait.

Je les avais vu construire. Maintenant ils étaient presque pleins. Longs, hauts, posés sur la plaine, ils faisaient penser à des bateaux. Le vent soufflait sur le plateau, entre les maisons. J'aimais traverser par là. C'était grand, et beau; et terrible. Quand je passais tout près, je croyais qu'ils allaient me tomber dessus. Tout le monde avait l'air minuscule, et même les blocs de notre Cité auprès de ceux-là ressemblaient à des cubes à jouer. Les gens grouillaient comme des petites bêtes sous les lampadaires. Des voix, des radios, sortaient des maisons, je voyais j'entendais tout, il me semblait que j'étais très loin et j'avais un peu mal au cœur, ou peut-être que c'était justement à l'âme. Je récupérai les gosses. Je rentrai.

« Va vite au lait dit ma mère, je n'ai pas eu le temps Chantal a encore la fièvre ah ! celle-là quand elle aura pas quelque chose. Prends les sous sur le buffet. Sors les ordures en même temps, et tu prendras du râpé, et le pain, tu penseras à rentrer la poussette en revenant, et regarde le courrier par la même occasion, dépêche-toi, ton père va arriver tu devrais déjà être revenue. »

Si Mlle Garret avait dit vrai elle avait une âme elle aussi, je lui aurais bien demandé mais la mère entra à l'hôpital et je laissai tomber le catéchisme pour un temps et ensuite ça m'était sorti de l'idée. Nicolas naquit en février, avant sa date.

Un moment j'avais cru que c'était fini. Elle était tellement patraque depuis le bébé mort, et peut-être qu'on lui avait tout enlevé par la même occasion, depuis le temps qu'elle en parlait de se faire tout enlever. Tout le monde grandissait, même Catherine malgré son retard arrivait à se boutonner toute- seule, je voyais venir le jour où ils seraient tous débrouillés, où je n'aurais plus rien à foutre; et tout repartait à zéro.

Grâce à Nicolas on pourrait faire réviser la machine à laver et ça c'était une bonne chose parce qu'autrement les couches, et j'en avais marre des couches, marre, marre, marre. On

pourrait ravoir la télé, ce qui m'arrangeait aussi
parce que, quand elle était là, on avait bien
plus la paix. Après ça, avec de la veine, on
pourrait peut-être penser à la bagnole. C'était
ça qu'ils visaient maintenant, plutôt que le
frigo, la mère aurait voulu un frigo mais le
père disait que c'était bien son tour d'avoir
du bien-être, pas toujours celui de sa femme,
et avec la fatigue pour venir d'une banlieue à
une autre il commençait à en avoir plein le dos.
La mère pouvait bien aller au marché tous
les jours, d'ailleurs c'était moi qui y allais ils
n'avaient pas l'air d'y penser. Ils calculèrent
tout un soir pour cette histoire de bagnole, s'il
y avait moyen, avec les Trente-Trois pour Cent,
de l'avoir, en grattant ici et là et compte tenu
de la télé en moins et de l'Impôt cédulaire en
plus et si la mère pouvait rabioter avec quelques
ménages dans les limites du Salaire unique,
l'assistante avait donné tous les chiffres; ce qui
foutait tout par terre c'est si on devait acheter
un nouveau lit pour Catherine si Nicolas allait
dans le berceau, un lit c'est cher. Ils avaient
étalé des papiers sur ma table, me gênant; ils
me gâtèrent toute ma soirée, heureusement que
ça n'arrivait pas tous les jours.

Finalement avec l'oncle Georges, qui brico-
lait, pas comme papa qui ne savait rien faire de
ses dix doigts, on monta un petit lit par-dessus
celui de Chantal, qui grimperait d'un étage,

tandis que Catherine, quittant le lit du bébé, s'installerait au rez-de-chaussée, et qu'est-ce qu'on ferait après, le plafond ne serait jamais assez haut si on continuait. Comme ça il n'y avait plus que la paillasse à acheter.

Maman voulait qu'on laisse Chantal en bas, dans son ancien lit : « Elle est si fragile. » Des fois qu'elle se casse en tombant. Mais Catherine était encore bien petite, et bête comme elle était elle était capable de plonger et de se faire sauter le crâne.

Catherine refusa de quitter son ancien lit. Elle s'y accrochait et quand je la tirais le lit venait avec. Ses piaillements emplissaient la baraque. On était trois après elle. Patrick, que l'odeur du sang attirait, arbitrait le combat : « Vas-y Cathy, mets-leur z'en ! Te laisse pas faire ! » Papa, énervé à force, lui fila une beigne, ce qui le fit comme d'habitude rigoler. « Qu'est-ce qu'on peut faire de lui, mais qu'est-ce qu'on peut faire de lui ! gémissait la mère, mon dieu mais qu'est-ce qu'on peut en faire je me demande, qu'est-ce qu'on peut faire de lui qu'est-ce qu'on peut faire, mais qu'est-ce qu'on peut faire de ce gosse-là mais qu'est-ce qu'on pourrait bien en faire mon dieu ! »

Kss kss, disait Patrick, et Catherine enthousiasmée nous bourrait de coups de pieds et nous mordait. Les voisins tapaient dans le mur, il était dix heures.

Le combat se termina par la victoire de
Catherine. Puisque de toute façon Nicolas était
en couveuse pour encore trois semaines, pourquoi lutter déjà. La seconde mi-temps se joue-
rait à son arrivée, et peut-être qu'entre-temps
il mourrait, ce qui réglerait tout. On était tous
épuisés. Seuls les jumeaux n'avaient pas parti-
cipé, ils ne se mêlaient pas de nos histoires;
dans leur lit, ils dormaient, tendrement enlacés.

Je récupérai ma cuisine et ouvris mon cahier.
Un instant j'entendis la mère se plaindre à
côté : Oh ! là ! là ! ce que je suis fatiguée,
oh ! là ! là ! ce que je peux être fatiguée ils me
feront mourir; ils me feront mourir ces gosses,
je suis rendue oh ! là ! là ! mon dieu ce que
je peux être fatiguée c'est rien de le dire oh !
là ! là ! mon dieu que je suis fatiguée. Le ronflement du père s'élevait déjà dans la nuit
profonde. Le sommier grinça, elle rentrait au
lit. Soupir. Silence. Soulagement. Paix.

« Le mouchoir que tu m'as donné quand
j'ai eu la croix est blanc. Le mouchoir — que
tu m'as donné — quand j'ai eu la croix — est
blanc.

« Le mouchoir est blanc », proposition prin-
cipale;

« Le », article défini;

« Mouchoir », nom commun masculin singulier, sujet de « est »;

« Est », verbe être, 3ᵉ personne du singulier, présent de l'indicatif;

« Blanc », adjectif masculin singulier; attribut de « mouchoir »;

« Que tu m'as donné », proposition subordonnée, complément de « mouchoir »;

« Que », conjonction de subordination;

« Tu », pronom personnel, 2ᵉ personne du singulier, sujet de « as donné »;

« m' », pronom personnel, 1ʳᵉ personne du singulier, complément indirect de « as donné ».

Plus un devoir était long, plus j'étais contente. La plume grattait, dans le silence. J'aimais ça. J'aimais la plume, le papier, et même les cinq petites lignes dans lesquelles il fallait mettre les lettres, et les devoirs les plus embêtants, les grandes divisions, les règles de trois, et j'aimais par-dessus tout l'analyse grammaticale. Ce truc-là m'emballait. Les autres filles disaient que ça ne servait à rien. Moi ça ne me gênait pas. Même je crois que plus ça ne servait à rien plus ça me plaisait.

J'aurais bien passé ma vie à faire rien que des choses qui ne servaient à rien.

« As », verbe être, 2ᵉ personne du singulier, auxiliaire de « donné »;

« Donné », verbe donner, participe passé.

La maîtresse disait : « Ce n'est pas la peine d'en mettre tant Josyane; essaie plutôt de ne pas laisser d'étourderies ça vaudra mieux. » Car

des fautes ça j'en faisais, et finalement j'étais
plutôt dans les moyennes; de toute façon, je
n'essayais pas de me battre pour être première.
Ça ne m'intéressait pas. Pourquoi être première ? Ce que les gens pensaient de moi
m'était dans l'ensemble bien égal. La maîtresse
avait écrit dans le livret : « Indifférente aux
compliments comme aux reproches », mais
comme personne ne l'avait jamais regardé ce
livret elle aurait aussi bien pu marquer c'est
le printemps, ou Toto aime Zizi ou cette fille
est une nouille, ça n'aurait pas fait de différence. Une fois dans la classe d'avant j'avais été
troisième, on ne sait pas pourquoi, un coup de
veine, toutes les autres devaient être malades;
j'avais mis le livret sous le nez de papa ce
coup-là, il l'avait regardé et me l'avait rendu en
disant Bon. Au cas où la colonne lui aurait
échappé je dis : « Je suis troisième. » Ça
donna : « Ah ! bon. » Point c'est tout. Du
reste, je m'en foutais de ce qu'il pouvait dire.
   Eux pourvu qu'on y soit à l'école, garés, ça
suffisait. Quand Patrick s'était fait foutre à la
porte par exemple, là ça avait chauffé : « Alors
tu vas me rester toute la sainte journée dans
les jambes ? » Ça non. Qu'on grouille, puisqu'on
est là, bon, mais ailleurs, le plus loin possible.
Allez-vous me foutre la paix, vas-tu finir avec
tes questions, laisse-moi tranquille à la fin, alors
tu vas me rester toute la sainte journée dans les

jambes. Du coup elle y était allée à l'école,
malgré ses phlébites, et on avait repris Patrick,
vous comprenez je n'ai pas le temps de m'occuper de lui, de le surveiller. Si ça ne marchait
pas, on l'enverrait au Redressement. Une trou-
vaille le Redressement; cette fois Patrick eut les
jetons, et fila juste assez droit pour ne pas se
faire encore virer. Enchantés du résultat, ils
appliquèrent sans tarder le système avec Cathy :
« Si tu ne te tiens pas tranquille tu iras aux
Arriérés. » Ils commençaient à s'y entendre
en éducation. Cathy, quatre ans, ne savait pas
ce que c'était que les Arriérés. Patrick le lui
expliqua : il se tordait la figure dans tous les
sens en bavant et en faisant des bruits de gorge,
pour lui montrer comment ils étaient là-dedans.
Cathy hurlait. Elle en rêvait la nuït, je devais
aller la réveiller; elle se rencognait contre le
mur, ses gros yeux hors de la tête. Quand le
mot Arriéré tombait, elle la bouclait. Patrick
était encore meilleur éducateur que les parents.

Merde pour Patrick. Qu'il joue au para avec
sa bande, près de la cabane du vieux qui se
maintient encore dans l'ancienne zone, au bout
de la Cité, dans le petit terrain plein de roses
trémières de toutes les couleurs, en juin; et
avec ce qui reste de son arbre, dont ils ont cassé
presque toutes les branches pour se construire
une sale hutte minable qui ne tient même pas
debout, et qu'ils foutent par terre même avant

qu'elle soit finie, et après ça ils vont casser
d'autres branches pour avoir une autre hutte
à démolir; j'ai jamais rien vu de plus bête que
ces garçons; ou alors ils mettent une vieille
couverture de cloche sur des bouts de bois, ils se
fourrent là-dessous et ils jouent au « prison-
nier »; ça consiste à attraper tous les types qui
passent devant et qui sont pas trop grands bien
sûr, à les rentrer dans la tente, et là à les « cuisiner ». Avec les jumeaux par exemple, le truc
ne marchait pas : c'est difficile de prendre deux
types à la fois par-derrière, quand Patrick en
attaquait un il avait l'autre sur le poil et il
était obligé de caner, comme le jour où, l'ayant
mis au sol, ils lui cognèrent dessus avec des
pierres. C'est un bonhomme de la Cité, qui
passait, qui le dégagea; le bonhomme nous
ramena les jumeaux par les oreilles, en les
traitant de petits salauds. Moi je me dis tout de
suite : qu'est-ce que Patrick a bien pu leur en
faire baver avant. « Si ça continue, dit la mère,
vous irez tous au Redressement. » Et en avant
la bonne méthode. « Comme ça j'aurai la
paix. » Il y a des moments où pour le Redressement j'aurais même été volontaire. Je nettoyai
à l'alcool la figure de Patrick, qui se faisait un
point d'honneur de ne pas broncher pour épater
qui on se le demande, tout le monde s'en fichait.
Chantal se mit à dégueuler : le sang, elle ne
supportait pas. On n'entendait pas Catherine :

dans le coin, elle ricanait en se tripotant vague-
ment. Je barbouillai Patrick de mercurochrome,
comme ça il faisait encore plus para. La mère
retira du feu les pommes de terre, qui avaient
attaché pendant qu'elle tenait la tête de
Chantal. Les beaux jeudis.

« Tiens, me dit-elle, épluche-z'en d'autres. Et
vous deux, débarrassez-moi le plancher, et ne
recommencez pas vos conneries à amener ici
des gens que ça regarde pas.

— Pati ! Pati ! »

Catherine, avec un métro de retard, appelait
son frère, qui s'était déjà taillé afin de montrer
aux copains son honorable figure de héros
blessé, et d'organiser une vengeance.

« Laisse-z'en, me dit ma mère, tu mets tout
sur les pelures. Au prix où c'est. »

Je ne répondis pas; c'est ce que je faisais en
général; j'attendais que ça se passe. J'attendais
que la journée se passe, j'attendais le soir, le
soir qui, rien à faire, finirait par venir, et la
nuit, qui les aurait tous, qui les faucherait
comme des épis murs, les étendrait pour le
compte, et alors je serais seule. Seule. Seule.
C'est moi qui tenais la dernière.

II

NICOLAS sortit de sa couveuse, et arriva à la maison avec le printemps.

J'avais remarqué cette fois-là les bourgeons sur les arbres, les pousses vertes. Ainsi c'était vrai.

Le jeune marronnier pour le coup était mort, il ne reviendrait pas; ils l'avaient eu finalement. Ils lui passaient des cordes, et tiraient jusqu'à ce que ça casse. Pourquoi est-ce qu'on n'en faisait pas des bûcherons, au lieu d'emballeurs, conditionneurs, perceurs, pistoleurs, moutardeurs ? Trois des petits arbres de la cour — au début on appelait la cour « l'espace vert » — ne revivraient pas non plus : ils aimaient se pendre après et les courber jusqu'à terre; le jeu était à qui courberait l'arbre le plus bas : l'homme fort. Depuis qu'on était là ils en avaient eu douze avec ce système. Une fois j'avais pris Patrick et je lui avais crié dessus.

« Laisse-le donc, pendant ce temps-là il fait pas de bêtises », dit ma mère.

Sur leur commode dans leur chambre, il y avait une photo; c'était du temps où ils s'étaient mariés; ils étaient sur un vélomoteur; elle avait des cheveux longs, et une jupe large étalée; ils riaient. On aurait dit une jeune fille comme celles que je voyais aujourd'hui à la grille, se faire emmener en virée sur les scooters. On n'aurait pas dit nos parents.

Elle avait la peau sèche, et qu'est-ce qu'elle avait fait à ses cheveux pour en avoir perdu la moitié ? Elle regardait droit devant elle, sur rien. Même en me forçant, je ne pouvais pas croire que c'était la même fille, sur le vélomoteur.

Depuis qu'elle n'allait plus à l'usine, elle faisait les escaliers de la Cité, ça rapportait juste assez pour qu'on ne nous enlève pas le salaire unique, ils avaient fait le calcul. Chantal la suivait comme un toutou. Catherine traînait de son côté, généralement non loin de Patrick, avec deux ou trois autres mômes de la même couvée, s'occupant à lancer des cailloux; quand ils pouvaient trouver un chat ou un chien ils étaient à la fête; mais c'était rare, en général les bêtes ne faisaient pas longue vie ici. Une fois je les avais vus en train de bourrer de coups de pieds un pauvre clébard qui se traînait là cet imbécile, et je leur avais dit qu'un jour les chiens viendraient les manger par les pieds, la nuit, quand ils seraient tout seuls dans la maison sans lumière, et leur mère à l'hôpital en train de mourir; j'avais beau en remettre, essayer d'en inventer, ils me regardaient d'un air complètement abruti, comme peuvent en avoir les mômes d'ici; quand je m'arrêtai de parler faute d'idées, ils s'y remirent tranquillement; la rage me prit et je filai deux beignes à Catherine, de préférence, parce que c'était ma sœur, mais j'en aurais plutôt pris un pour taper sur l'autre; aussitôt une bonne femme sortit du bloc comme une furie et me traita de sauvage, à brutaliser des petits. Je lui dis que c'était de la vermine et qu'elle aille se faire foutre; ça fit une histoire, la mère me dit : t'as qu'à pas te mêler de ce qui te regarde pas, il était pas à toi ce chien, non ? Comme elle dit pendant ce temps-là ils ne font pas de bêtises, et en tous cas on ne les a pas sur le dos.

A ce moment-là il ne restait plus à la maison que Nicolas, dont j'avais la charge entre les heures de classe.

Il était pâle et roux, et gardait les yeux clairs, contrairement aux autres qui les avaient marron, sans parler évidemment des jumeaux, qui étaient noirs comme des pruneaux et tout frisés, mais ces jumeaux-là c'était un autre mystère.

La mère ne s'occupait presque pas de Nicolas;

j'étais grande maintenant, elle pouvait se reposer sur moi. Il n'était pas embêtant, il ne faisait pas beaucoup de bruit. Il regardait tout de ses yeux clairs grands ouverts, avec l'air de se demander dans quel bordel il était tombé, et pourquoi. Je me disais qu'il avait peut-être une âme. Je faillis tuer Catherine quand je la pris en train d'enfoncer comme font tous les petits ses doigts dans les orbites de Nicolas. Je la pris par sa maigre tignasse et en faisant un air comme dans les films j'approchai tout doucement mes doigts de ses yeux globuleux. Elle beugla, Patrick s'amena naturellement. « Tu iras aux Arriérés Aveugles », dit-il. Catherine piqua son accès et je la laissai gigoter par terre. De toute façon rien n'y faisait. Mais en fin de compte, ce n'est pas permis d'être si méchant quand on est si laid.

Je parlais à Nicolas comme je l'avais toujours fait aux bébés en m'occupant d'eux quand j'étais seule, mais lui on aurait dit qu'il m'écoutait, et ça m'encourageait; je lui racontais tout ce qui m'arrivait, ou quand j'avais une raison de râler ou n'importe quoi; il adorait que je m'occupe de lui, il se roulait dans mes mains et riait. Ça me soulageait de lui parler.

Un jour, j'eus une amie, Fatima. On s'était rencontrées un soir qu'elle essayait de rentrer ses garçons et moi les miens. « Tiens me dit-elle, ils sont à toi ces deux-là ? en montrant les

jumeaux; je l'aurais pas cru. » Personne ne le
croyait, il fallait insister pour le faire admettre.
Fatima me demanda combien j'en avais : trois.
Moi, et elle a compté, j'en ai quatre. J'ai dit :
« Mais moi, j'ai encore deux filles. — Moi
trois, dit-elle, et deux qui sont mortes. — Moi,
j'en ai un seulement qui est mort, et j'ai aussi
un bébé, qui s'appelle Nicolas. Nous, on en
attend un pour juillet », dit-elle. On a fait
notre compte, elle avait gagné. On a ri. Mais
on ne pouvait pas rester longtemps, on avait du
travail qui nous attendait à la maison. Elle a
ramassé ses frères, qui étaient tous noirs et
frisés comme mes jumeaux.

Je n'avais pas d'amies à l'école; je n'aime
pas les filles, elles sont con. Fatima, c'était
spécial, on pouvait causer. On s'est revues. Mais
on n'avait jamais bien le temps, c'était toujours
elle allant aux courses moi en revenant, ou le
contraire. Et c'est dommage, parce que je
l'aimais bien. Ça me faisait toujours plaisir
quand je la voyais arriver de loin, avec ses
grands cheveux noirs, et son sourire. Fatima et
moi, on se comprenait. Mais elle partit, ils
allaient dans les grandes maisons de Nanterre,
parce qu'ici ils n'avaient plus assez de place, ils
étaient onze dans trois pièces. Je dis à Nicolas
que Fatima était partie. J'étais triste.

Tous les soirs en allant me coucher, je le
trouvais dressé sur son lit. Je n'allume pas pour

me déshabiller, afin de ne pas éveiller les
petits, mais lorsqu'il y a la lune on voit tout
clair dans la chambre; Nicolas ne s'endormait
jamais avant que je sois venue lui parler et
l'embrasser, et ça me faisait plaisir de le voir
là, qui m'attendait, et de le sentir contre moi
tout chaud et doux.

Un jour en classe on nous apprit une fable,
d'un roi qui avait un grand secret et ne devait
le dire à personne. Un jour, n'en pouvant plus,
il s'est couché dans les herbes et leur a tout
raconté. Mais les herbes l'ont dit au vent, qui
l'a dit à tout le monde.

J'ai trouvé cette fable très jolie; mais, pas de
veine, quand la maîtresse a interrogé et m'a
demandé quel était le secret du roi, impossible
de m'en souvenir. Eh bien, a dit la maîtresse, il
aurait mieux fait de te le dire à toi, et elle m'a
collé un zéro, pour m'apprendre à écouter en
classe.

J'ai raconté la fable à Nicolas le soir : lorsqu'il est là dressé, blanc et roux, tout brillant
dans la lune, ce que je raconte devient beau;
j'ai dit : « Je suis le roi, et toi tu es l'herbe. »
Je l'ai embrassé.

Catherine s'agite dans de mauvais rêves;
Chantal, toujours le nez pris, ronfle aussi fort
que le père, chétive comme elle est. Dès que je
l'ai embrassé, Nicolas s'endort comme un ange,
et ne bouge plus.

A deux ans et demi, il ne parlait pas. Pas même papa maman. Ils finissaient tout de même par s'étonner. Ils essayaient de le faire parler, dis maman, papa, pa pa pa... Rien. Pipi. Il les regardait d'un air abruti. Da da da da, bafouillaient les tantes le dimanche en lui chatouillant le museau. Il secouait la tête comme s'il était couvert de mouches, et si on s'obstinait il grognait.

« Il est peut-être muet », conclut tante Odette après une série d'échecs et il l'avait mordue. Ce petit. Pourtant tous les enfants m'adorent, sans exception.

Elle était grasse et avait une grande poitrine, comme une paire d'oreillers; les enfants devaient sans doute confondre.

« Je ne vois qu'une chose, il est peut-être muet.

— C'est gai. dit la mère. Faudra le mettre aux Arriérés. D'un côté, ajouta-t-elle, s'il est muet il ne nous cassera au moins pas les oreilles.

— Oh ! maman !

— Quoi ? me dit-elle.

— Tu ne devrais pas devant lui ! En tout cas il n'est pas sourd.

— Y peut pas comprendre, dit-elle. Tiens, essuie le grand plat et fais attention de pas le foutre par terre. »

Pour la conversation, elle au moins, elle se posait là.

« Con maman ! »

On se retourna en se demandant d'où ça venait. C'était Nicolas qui disait ses premiers mots.

« Ben dis donc ! dit la tante.

— Con maman, con tante.

— En voilà des façons de parler où t'as appris ça ! » dit la mère et elle lui fila une beigne. C'était sa première. Il ne pleura pas. Il se marrait. Quant à où il avait appris, j'aurais pu en dire long. On ne se méfie pas assez des bébés. J'essuyais mon plat.

« C'est Josyane qui lui a appris, dit Chantal. La nuit elle lui raconte des histoires. J'entends. »

Je posai le plat et je sautai sur Chantal, la mère s'élança au secours de son enfant, la tante essaya de m'empoigner, Nicolas mordit Chantal aux mollets et pas pour rire d'après le cri qu'elle poussa, et après c'est la mère qui s'étala en entraînant le sèche-assiettes. On ramassa les morceaux du grand plat, j'étais ravie qu'il soit cassé et pas par moi; et bref ce fut un dimanche comme les autres.

*

C'était encore une fois le printemps. Il y avait un lilas dans les derniers jardinets que la Cité n'avait pas encore bouffés. Quand je revenais de l'école je le voyais, mais je ne disais rien, les autres filles se seraient payé ma tête.

Le seul moment où je pouvais me promener tranquille, c'était les courses. A cause de ça, jamais je ne renâclais dessus; d'ailleurs personne n'essayait de me les disputer, l'habitude était prise, on n'y pensait même plus. Je traînais, autant que je pouvais pour éviter l'engueulade, en augmentant peu à peu à mesure que les jours allongeaient.

L'autobus s'arrête juste devant la Cité, et les gens qui reviennent de leur travail en descendent tous en tas, à l'heure où je vais aux commissions; c'est toujours à peu près les mêmes têtes que je vois, à force; je les reconnais. On se reconnaît tous, mais on ne le montre pas; simplement on se dit tiens, je suis en retard, ou je suis en avance, ou je suis juste, selon la charretée qui se déverse devant la porte.

Un soir, un homme qui descendait de l'autobus me regarda et me sourit. Il traversa l'avenue vers les grands blocs, et se retourna pour me regarder. Je me demandais pourquoi cet homme m'avait souri, car justement celui-là je ne l'avais jamais vu. C'était bizarre, et j'y repensai, et puis il m'arrivait tellement peu de choses que le plus petit détail me restait. Par la suite, je revis cet homme, et chaque fois il me regardait.

Un jour, en revenant des commissions, je le croisai carrément. J'avais deux bouteilles de vin, une d'eau, et le lait, plus le pain sous le bras.

« C'est bien lourd pour toi tout ça, me dit-il comme si on se connaissait. Tu veux que je te le porte ?

— Oh ! je suis arrivée, dis-je, c'est là que j'habite.

— Dommage, dit-il. Moi, j'habite là, ajouta-t-il en montrant les grands blocs. Pour l'instant. Je te vois souvent, en train de porter tes filets. Tu as beaucoup de travail ?

— Oui. Voilà, je suis arrivée.

— Tant pis, et il me rendit le filet. A bientôt peut-être ? »

Il traversa l'avenue et me fit un signe de la main.

Je le rencontrai plus souvent. Je regardais les autobus, mais il devait arriver plus tôt, car je le croisais sur l'avenue; peut-être qu'il m'attendait; on faisait quelques pas ensemble; il prenait mon filet; il arriva qu'on dépasse la Cité, tout en parlant, qu'on prenne la petite rue qui contourne les maisons vers les jardinets.

Il s'appelait Guido. Il vivait seul. Il me parlait comme à une personne, il me racontait sa vie, il n'était pas dans son pays ici, dans son pays il avait une maison avec une vigne, et comme moi beaucoup de frères et sœurs, des sœurs très belles qui se mariaient une par une. On faisait quelques pas, et il me quittait, avec son petit signe de la main et son sourire. C'était un homme très beau, brun avec de belles dents blanches quand il souriait, et des yeux clairs. Il devait avoir bien trente ans.

Il se sentait très seul, il était triste; les blocs lui fichaient le cafard, il me disait que bientôt le monde serait tout comme ça, et que les hommes qui avaient quelque chose dans le ventre n'auraient plus qu'à tous foutre le camp sur la planète Mars. Il me regarda et me dit qu'il était en train de devenir fou; mais il sourit, il n'avait pas l'air fou du tout, au contraire.

« Quel âge as-tu ? me dit-il.

— Onze ans. » Je mentais un peu.

« Madona », dit-il.

Il me racontait que le soir il écoutait son phono, un vieux truc mais il aimait tellement la musique qu'il préférait ça à rien du tout; il faut avoir quelque chose qu'on aime dans la vie, sinon on serait comme une bête. Je lui dis que moi si je n'avais pas Nicolas je serais comme une bête, et c'est ainsi que je m'en rendis compte, c'est fou ce qu'on peut découvrir en parlant. Je me mis à lui parler de Nicolas, je lui dis que je croyais qu'il avait une âme. Il parut étonné. Je lui expliquai ce qu'avait affirmé Mlle Garret à ce sujet, et que je n'arrivais pas à croire que tout le monde en a une. Il hocha la tête.

« C'est vrai que c'est difficile à croire, dit-il. Et moi, est-ce que j'ai une âme ? »

Il s'était arrêté de marcher pour que je le regarde; il souriait, montrant ses belles dents blanches. Je lui dis que je croyais que oui.

« A quoi tu le vois ?

— Je ne sais pas. Comme ça. Je ne sais pas. D'abord, tu parles. »

Il disait : « Quand je construis ces maisons je suis malade; je ne sais pas si je pourrai continuer longtemps. Je pense : C'est toi qui fais ça Guido, toi qui es né sur les collines ». Chez lui, il y avait toujours du soleil, mais il n'y avait pas de travail. Mais un jour, disait-il, il n'y aura même plus de collines, Dieu veuille que je sois mort ce jour-là. Je ne suis pas fait pour supporter ça, je suis un homme moi, pas un robot.

« Tu dois avoir raison, me dit-il, c'est pour ça qu'il m'arrive ce qui m'arrive.

— Qu'est-ce qui t'arrive ?

— Quel âge as-tu ? »

Je lui avais déjà dit, mais il avait dû l'oublier. Je le lui redis.

« Quel malheur », dit-il.

Il se remit à marcher. Il me prit par la main. Sa main était grande et chaude, bien fermée sur la mienne. Personne ne m'avait jamais pris la main, et j'eus envie de pleurer.

Il me dit qu'il n'avait pas de femme, il ne

pouvait plus les approcher : elles étaient fausses comme des réclames, disait-il, à force d'en voir.

« Ici on perd vite son âme, dit-il. Ou bien si on ne la perd pas on devient fou. C'est ce qui est en train de m'arriver. Avec toi ». ajouta-t-il, en me souriant.

Je n'avais pas parlé de Guido à Nicolas au début : un jeune homme qui descendait de l'autobus m'a regardée... c'était trop bête à dire. Alors je lui racontai que j'avais rencontré un habitant de la planète Mars. Il était presque invisible, les autres gens ne le voyaient pas, il restait tout seul. Il s'ennuyait ici, il trouvait que c'était moche, mais il ne pouvait pas retourner chez lui, il était perdu. Il n'y avait qu'une chose qu'il aimait chez nous, c'était la musique. Le soir il l'écoutait en passant devant les maisons. Chez lui, tout le monde avait une âme, tout le monde se comprenait. Ici personne ne parlait à personne, les gens étaient enfermés dans leur peau et ne regardaient rien. Il avait beau leur sourire, leur faire des saluts, ils ne répondaient pas; j'étais la seule. Chez lui, il faisait toujours du soleil, et c'était couvert de vignes et les arbres ne perdaient pas leurs feuilles, au printemps il en poussait de nouvelles, blanches, qui devenaient vertes l'année suivante, et les arbres ressemblaient à des bouquets de fleurs. Ce que j'ai pu en donner de détails sur la planète Mars, rien que pour

pouvoir parler d'une façon ou de l'autre de
Guido. J'avais inventé qu'il s'appelait Tao, car
il me disait au revoir ainsi. Pour parler on
attendait que Chantal ronfle, même si elle
faisait semblant ça l'empêchait d'entendre ce
qu'on disait, et, de toute façon, elle avait une
peur bleue de Nicolas qui ne la loupait jamais
et lui avait promis de la tuer plus tard, quand
il serait grand.

L'école était finie. C'était l'été. Je rencontrais
Guido tous les jours, après son travail; on allait
se promener un peu plus loin, entre les jardins.
Quand je lui dis qu'on allait partir en vacances,
il devint sombre. Il me regardait, commençait
une phrase et ne la finissait pas, puis repartait et
on marchait sans parler, sa main serrant la
mienne, la broyant. J'avais le cœur lourd, et
moi non plus je n'arrivais pas à parler. Finalement, il me demanda si je pouvais aller aux
commissions plus tôt, le lendemain, jeudi; il
s'arrangerait pour se libérer lui aussi; naturellement je pouvais. On eut un vrai rendez-vous,
à une vraie heure, dans un endroit précis, un
peu loin de nos maisons, au panneau Montreuil.

Il avait un scooter; un copain lui avait prêté;
il me demanda si je voulais bien faire un tour
avec lui. Si je voulais! Monter en scooter!

J'étais ravie. Lui avait toujours l'air aussi
sombre, il allait vite, et faisait des tas d'astuces,
je devais m'accrocher fort à lui, c'était mer-

veilleux. On entra dans le Bois. Il prit une
allée, et s'arrêta.

« On va se dégourdir les jambes, dit-il. Tu
veux bien ? »

Je sautai du scooter. Il le mit contre un
arbre.

« On ne va pas te le voler ?

— On n'ira pas loin. Juste quelques pas.
Pour te dire quelque chose. »

On fit quelques pas, dans un sentier. Il avait
pris ma main.

« Alors, tu pars demain ?

— Oui, répondis-je tristement. Ça ne me
disait rien.

— Tu sais... dit-il.

— Quoi ? demandai-je au bout d'un moment, voyant que rien ne venait.

— Ah ! » dit-il. Il se tourna vers moi, et me
regarda d'un air égaré. Il prit mes deux mains
et soudain tomba à genoux et m'attira contre
lui, et il se mit à parler en italien. Ce qu'il
disait je ne le sais pas, je ne sais pas l'italien,
mais je le sais je l'entendis, je n'ai jamais rien
entendu de si beau, je comprenais tout. Quand
il m'embrassa le visage, il était brûlant, ses
mains étaient brûlantes sur moi et de temps en
temps il levait les yeux vers moi et me posait
une question, si je voulais bien, si je voulais
bien, il me dit seulement en français : « Je ne
veux pas te faire de mal. Je te jure je te jure,

c'est que je t'aime », et il répéta en italien qu'il ne voulait rien me faire de mal, je le croyais, je le laissais faire, je n'avais pas envie de l'empêcher, pas du tout et de moins en moins, à mesure que ses lèvres m'approchaient, et quand je sentis leur chaleur alors pour un empire je ne l'aurais pas arrêté. C'était doux, cela ne finissait pas, j'étais adossée à l'arbre, Guido était à genoux devant moi, j'entendais les oiseaux, je ne savais pas qu'il existait des choses aussi bonnes, et à la fin il y eut une limite, je fus obligée de gémir, Guido me serra follement et gémit aussi, mes jambes ne pouvaient plus me porter. Il me coucha sur le sol, ou j'y tombai, je ne sais pas, il avait l'air heureux, il parla encore, et il recommença, il disait qu'il ne s'arrêterait jamais, je comprenais de mieux en mieux l'italien. Moi non plus je n'aurais pas arrêté, quand il me laissait un peu je le retenais, finalement j'en avais presque mal, je pouvais à peine le supporter, mais quel dommage ! J'aurais voulu que ce soit éternel.

« Tu ne m'en veux pas ? demanda-t-il quand tout de même on revint au scooter, et puis le jour baissait, j'étais déjà pas mal en retard.

— Oh non ! » m'écriai-je. J'étais sincère.

Il m'embrassa. Je dis : « Je ne savais pas que ça existait.

— Mon Dieu, dit-il, que tu étais bonne ! Je le savais. J'en étais sûr d'avance. »

On recommença une dernière fois, mais
après je n'en pouvais vraiment plus. « Madona,
je suis fou », disait Guido. On rentra à toute
vitesse, et vraiment là il était fou, on manqua
mourir vingt fois, et il chantait à tue-tête un
air de chez lui. Il me laissa un peu avant la
Cité. Il me dit une phrase, avec « morire », en
souriant tristement, et me fit Tchao, en se
retournant sur le scooter, avant de tourner dans
son allée.

« Alors, qu'est-ce que t'as foutu ? Le vermicelle quand est-ce qu'y va cuire ? »

Je le ramenais. On l'avait acheté avec Guido
en passant, et trimbalé dans les sacoches.

« Je me suis promenée.

— C'est pas le moment de te promener
quand je t'attends avec les commissions. »

Dans ces cas-là je me tais. Mais aujourd'hui
j'encaissais mal.

« Et quand est-ce que c'est le moment ? J'ai
sans arrêt des trucs à faire ! j'arrête pas du
matin au soir et tous les autres se les roulent !
Y a qu'à donner des commissions à Patrick, lui
il a le droit de traîner tant qu'il veut ! »

Patrick se détourna à peine de la télé — le
seul truc capable de le faire rappliquer à la
maison — et me jeta :

« Moi, c'est pas pareil, moi je suis un
homme. »

J'éclatai de rire.

« Un homme ! tu sais même pas ce que c'est. »

C'était vraiment pas le moment de me sortir ça, il tombait bien, tiens !

« Morpion ! »

Les jumeaux levèrent le nez de leur livre de géographie (qu'est-ce qu'une presqu'île ? une presqu'île est une terre entourée d'eau de trois côtés) et ricanèrent, ostensiblement.

« Tu veux te faire corriger ? me dit Patrick, très chef.

— Tra la la, tra la la, dirent les jumeaux.

— Vous les lopes...

— Tra la la, tra la la !

— La ferme, dit le chef de famille, je peux pas écouter l'émission !

— Vous perdez rien pour attendre, dit Patrick.

— Tra la la, tra la la, chantonnèrent doucement les jumeaux. Qui c'est qui va encore se les faire dévisser.

— Allez-vous vous taire ? dit la mère. Votre père écoute l'émission. Josyane, râpe le gruère.

— Où c'est que t'as été te promener, dit cette punaise de Chantal, flairant un coup, pour ça elle avait de l'intuition.

— Avec une copine.

— Comment elle s'appelle ?

— Fatima, répondis-je au hasard, de toute façon ils ne la connaissaient pas.

— Belles fréquentations, dit Patrick, moraliste.

— Je t'emmerde microbe.

— Ah ! merde ! dit le père. On peut pas avoir un instant de tranquillité dans cette bon dieu de journée, non ?

— Eh bien, Josyane ? je t'ai pas dit de râper du gruère ?

— Ah ! la barbe ! Chantal a qu'à le faire. Elle fout jamais rien ! moi j'en ai marre de faire la bonne ! »

J'étais enragée. Je les aurais tués. Y compris le sale con de l'émission, à qui on demandait combien de kilomètres il y a entre Sparte et Lacédémone et qui restait comme une andouille à se faire foutre de sa poire par dix millions d'autres cons.

« Y va pas les avoir, dit le père à son Fils Aîné.

— Il a l'air d'une cloche », approuva Celui-Ci.

Catherine prit le fou rire, comme chaque fois que Patrick ouvrait le bec, que ce soit pour dire la pire des conneries. La mère me gueulait dessus, à cause du râpé, entre ses dents à cause du père et de l'émission. Finalement je lui dis merde. Elle était tellement peu habituée de ma part à ce genre de reparties, généralement réservées à Patrick, qu'elle en resta penaude, la louche au bout du bras et la bouche ouverte.

pendant que je me taillais dans ma chambre.
Au fond, le secret c'est de leur parler un peu
sec : qu'est-ce qu'ils peuvent faire ?

Je boufferais pas ; d'ailleurs j'avais pas faim ;
et puis je m'en foutais de leurs salades ; j'avais
autre chose à penser, moi, ce que, depuis que
j'avais remis le pied dans cette piaule je n'avais
pas pu faire, pas une seule seconde, tellement
vite ils s'étaient rués sur moi, m'avaient jeté
leur connerie à la tête.

Eh bien, ils avaient gagné. Mon trésor était
en morceaux, je ne sais où, noyé dans la rogne,
je ne pouvais pas arriver à le retrouver. C'est
des vrais détersifs ces mecs-là, là où ils sont
passés l'herbe ne repousse plus, comme on nous
avait appris à l'école à propos d'Attila, roi des
Huns.

J'avais beau me répéter : « Guido, Guido.
Tintin. Ah ! les vaches ! »

Et penser que j'aurais pu vivre cent ans sans
qu'un seul me fasse soupçonner qu'il y avait
autre chose dans la vie que leur sacré râpé, le
vermicelle et la Sécurité ! Ah les vaches.

« Jo ?

— Tu ne dors pas toi ?

— Ben je t'attends. Qu'est-ce qu'y font qu'y
gueulent ?

— Ils s'occupent de gruyère.

— Qu'est-ce que c'est du gruyère ?

— Du fromage.

— J'aime pas ça.

— T'as bien raison. En tout cas ça vaut pas la peine qu'on s'en occupe.

— Non, confirma Nicolas. C'est tous des cons. Qu'est-ce que t'as fait aujourd'hui ? Dis pas : t'as rencontré Tao. Ça se voit.

— Ça se voit ? »

Mon Dieu, après tout oui, peut-être, ça se voyait. Heureusement qu'avec eux on était tranquille, ils ont de la merde dans les yeux.

« Qu'est-ce que vous avez fait ?

— On est allés dans la forêt.

— Qu'est-ce que vous avez fait dans la forêt ?

— Euh, on a cueilli des fleurs.

— Où elles sont ? »

Ce n'était pas toujours facile avec Nicolas. Je l'avais habitué à lui dire tout.

« Elles sont parties. C'est des fleurs qui s'envolent quand on les cueille.

— Alors pourquoi on les cueille ?

— Parce que c'est joli quand elles s'envolent. Et après on les regrette.

— J'en veux aussi », dit Nicolas. C'était à prévoir.

Je lui en promis. Béni soit Nicolas, la forêt était revenue, il me l'avait ramenée. Je pensai que j'allais sûrement être malheureuse, et j'aimais mieux l'être de manquer de quelque chose que de ne pas savoir que ça existe.

III

ALORS arrivèrent les vacances. Ce n'était pas leur faute. L'usine fermait en août. Cette fois on n'irait pas chez la grand-mère à Troyes lui biner ses carrés et retaper ses cabanes à lapin pour revenir avec des ampoules et des tours de rein, on irait dans un hôtel à la campagne, comme les vraies gens qui vont en vacances, et on se reposerait pour de bon, du matin au soir, sans rien faire que respirer le bon air et faire des réserves de santé pour la rentrée, on partirait le, on irait par, on mangerait à. Bref, en un rien de temps ils avaient réussi à transformer la fête en un sacré emmerdement. On en parlait depuis Pâques; l'itinéraire; l'hôtel; le programme; l'horaire. Car ils avaient enfin la bagnole, et le chef de famille était passé mécano qualifié, incollable sur le delco, les pignons et les pompes, la tête dans le capot le samedi après-midi et le spontex ravageur le dimanche matin, faisant le concours avec Mauvin laquelle qui brillerait le plus. Jamais il n'aurait

touché à l'évier de la cuisine mais sa peinture
c'était autre chose. Et allez donc que je te
brique, et fier comme un pou, « on pourrait
manger la soupe dessus », une vraie petite
ménagère.   ⌐ *Pulls up all together*

Enfin on partit, tous en chœur entassés; cette
année, pour bien que tout le monde profite de
la voiture et se rende compte que le père en
avait une, personne n'avait été mis à la Colonie,
au diable l'avarice, et ça c'était bien dommage,
les seules bonnes vacances qu'on prend c'est
celles des autres.

Papa conduisait comme un cochon; tous les
autres chauffards de la route le lui faisaient
bien remarquer, et j'avais les jetons chaque fois
qu'il essayait de doubler une bagnole; c'était
une vieille traction ce qu'on avait, il disait que
ça devait doubler tout, à cause de la Tenue de
Route; la Tenue de Route ça devait être vrai,
sinon avec papa elle n'y serait pas restée longtemps.

Chaque fois qu'un de ces excités sortait sa
sale gueule de sa quincaillerie pour le traiter
de connard, son aîné rougissait; il avait honte
de son père; et depuis le début il était en
fureur parce qu'on l'avait jamais laissé toucher
à la précieuse mécanique; c'était un point sur
lequel le père ne cédait pas.

Toutes les vingt-cinq bornes Patrick demandait qu'on lui laisse le volant, rien qu'un peu,

et le père répondait fermement que non.

« Merde, je ferais au moins aussi bien que toi, dit Patrick, humilié une fois de plus car le père venait de se faire agonir par un quinze tonnes.

— J'avais la priorité ! » proclama le vieux, en accélérant victorieusement au virage qu'il prit à la corde à gauche, Dieu merci il ne venait personne en face.

« Un si gros que ça a toujours la priorité, fit remarquer Patrick. D'ailleurs il venait de droite, et on était dans une agglomération.

— De droite, de droite ! je vais te la faire voir la droite », dit-il en la lâchant du volant pour l'envoyer dans la figure du rebelle; la mère serra sa Chantal sur son cœur en voyant arriver le platane, le père rattrapa le volant à deux mains, de justesse, le fils n'eut pas la beigne; il profita aussitôt de la situation.

« De droite. La droite, c'est là, dit-il, en la montrant. De fait, c'est bien Patrick qui avait raison.

— Je sais ce que j'ai à faire », déclara le père, qui puisait dans la tenue d'un volant une autorité nouvelle. Pendant un moment on tapa le cent dix en silence.

« Pipi, dit Catherine.

— Ah ! non ! dit le père.

— J'ai envie, dit Catherine, et elle se mit à pleurnicher.

— Tu attendras qu'on prenne de l'essence.

« — Tu sais bien qu'elle ne peut pas attendre, dit la mère, plaintivement. Elle va faire dans sa culotte.

— Ah! là! là! » dit le père, pour gagner encore un peu de temps.

Ou alors c'était Chantal qui avait mal au cœur; elle ne supportait pas la voiture, et finalement il avait fallu la mettre devant avec la mère, près de la vitre, en cas. Patrick était au milieu, entre le père et la mère. Moi derrière j'avais Nicolas sur moi, et la moitié de Catherine; les jumeaux étaient tassés dans l'autre coin, regardant le pays et échangeant leurs impressions dans leur javanais à eux qu'ils s'étaient fabriqué pour qu'on ne les comprenne pas. Aux arrêts, Nicolas cueillait des fleurs et les lâchait en l'air, pour voir si elles allaient s'envoler. On remontait dans la voiture, où le père resté s'impatientait en regardant sa montre.

« Avec vous autres, j'arriverai jamais à tenir ma moyenne. »

Patrick se mit à rigoler bruyamment.

« Toi je vais te laisser sur la route, dit le père. Je vais te laisser sur la route tu vas voir! »

Il pensait que quitter sa belle voiture c'était un châtiment suprême.

« Oké, dit Patrick. J'aime mieux être orphelin que d'être mort. »

Comme on n'était pas encore démarrés il eut sa gifle.

Le père avait une faiblesse pour l'aîné de ses garçons, celui qui le continuait en somme; mais question voiture c'était un autre homme : plein d'allant, de dynamisme, d'autorité : ça le révélait.

« Descends, dit-il en ouvrant la porte de droite, devant laquelle la mère achevait de reculotter Catherine.

— Maurice... dit la mère faiblement.

— Ça lui servira de leçon, dit le chef de famille. Ce morveux. Ça lui servira de leçon, tiens. »

Sur le bord de la route, Patrick jubilait. Le père démarra, avec difficulté parce qu'il s'était mis dans un tas de sable. Aussitôt commença une scène avec la mère, qui trouvait qu'il avait été trop dur, et qui voulait qu'on retourne. Lui ne voulait pas.

« J'en ai marre à la fin, de ce morveux. Toujours à critiquer ce que font les autres. »

Dans le fond ça le soulageait de ne pas l'avoir à côté de lui en train de lui faire remarquer toutes ses conneries. Nous on les remarquait aussi mais au moins on la bouclait. Il s'offrait une petite récréation. Quand il eut assez profité, il se laissa fléchir. « Il doit avoir compris maintenant », dit-il, et il exécuta sur la route un demi-tour qu'il valait mieux que Patrick n'ait pas vu, et il nous dit que les vitesses dans la traction ça grinçait toujours.

Patrick n'était plus où on l'avait laissé. Plantés de part et d'autre de la route, le père et la mère observaient l'environ. Rien. L'angoisse s'établit. On appela, Paaatrick ! Paaa-trick ! Je te l'ai dit, disait la mère, que t'étais trop dur. Je le savais; le père ne répondait pas. Moi les jumeaux et Nicolas, on avait trouvé un buisson de mûres et on était dedans.

« Vous pouvez pas nous aider à chercher plutôt, non ? » J'émis l'idée qu'il s'était peut-être jeté dans la rivière, qui coulait non loin; mais dans le fond je n'y croyais pas. Cathy se mit à hoqueter. Je dis qu'après tout on s'était peut-être trompés d'endroit, est-ce qu'il y avait bien cette bâtisse, là, je ne me souvenais pas de l'avoir vue la première fois; les jumeaux dirent qu'ils étaient absolument sûrs qu'elle n'y était pas, ils avaient vu un transformateur. On réussit à faire remonter les vieux comme ça un bon bout de chemin, et à la fin ils ne savaient plus rien du tout. Le père décida de prévenir les gendarmes et les Recherches dans l'intérêt des familles, si on peut dire dans le cas de Patrick. Et de continuer. La mère dit qu'elle resterait dans le village jusqu'à ce qu'on ait retrouvé « le petit », comme ils l'appelaient maintenant. Tous les péquenots du coin s'intéressaient à nous, la mère était entourée de bonnes femmes, il y a des bonnes femmes partout. Le père, conscient de ses responsabilités.

décida qu'il conduirait les Siens à destination
d'abord, on ne pouvait pas faire courir les
routes à de jeunes enfants comme ça, surtout la
petite fille dans cet état, Cathy avait des convul-
sions, et qu'il reviendrait aussitôt pour les
Recherches. Tout le monde s'intéressait à
Patrick, « le Petit Disparu ». Le père disait :
« J'ai été trop sévère, il est tellement sensible »,
les hommes parlaient de draguer le fleuve.

On le rencontra plus loin à un croisement,
assis sur un parapet de pont, et mangeant des
pommes.

« Ben vous allez pas vite, nous dit-il avec
mépris quand on s'arrêta à sa hauteur. Ça fait
bien une heure que je vous attends.

— Ben où que t'as passé ? dit le père complètement sur le cul.

— Je vous ai doublés, dit Patrick. C'était
pas difficile. Et ça l'aurait été encore moins si
t'avais pas roulé en plein sur le milieu de la
route. J'allais repartir, je commençais à en avoir
marre.

— Non mais tu te fous de notre gueule ?
éclata le père. Je vais te relaisser là, moi !

— Maurice... supplia la mère. Allez, monte,
dit-elle à Patrick, en descendant avec sa Chantal
en toute hâte pour le lui permettre. Dépêche-toi,
ton père a déjà perdu assez de temps avec toi. »

Patrick monta dignement, regardant tout avec
dédain.

« J'étais dans une Cadillac, dit-il au bout
d'un moment, bien que personne lui ait rien
demandé. Ça c'est de la suspension, ajouta-t-il
après un passage de pavés.

— T'aurais tout de même pu nous attendre,
dit la mère; tu savais bien qu'on reviendrait
te chercher. On se demandait où t'étais passé.

— Josyane a dit que tu t'étais jeté dans la
rivière, moucharda Chantal à tout hasard.

— J'y croyais pas vraiment, dis-je, ç'aurait
été trop beau.

— Patrick nous ferait pas ce plaisir », dirent
les jumeaux.

Mais Patrick ne s'occupait pas de nos bavar-
dages; il expliquait tout ce qu'il y avait dans la
Cadillac, qui n'était pas dans celle-ci.

« Et les vitesses peuvent pas grincer même
avec la dernière des cloches, fit-il remarquer
comme le père passait en troisième, vu qu'elles
sont automatiques.

— Pourquoi tu y es pas resté ? dis-je, en
ayant marre. Pourquoi t'es revenu avec des
minables comme nous, pourquoi t'y es pas resté
dans ta Cadillac ? » Patrick négligea l'interrup-
tion et continua sur les boutons du tableau de
bord.

« Pourquoi tu y es pas resté, pourquoi tu y
es pas resté, se mirent à chanter les jumeaux,
couvrant sa voix.

— Oh ! bouclez-la, dit le père qui cherchait

ses lumières car la nuit tombait, on n'y voit rien.

— C'est la mauvaise heure, lui dit sa femme, en veine de converser. Entre chien et loup.

— Dans la Cadillac, dit Patrick, les phares s'allument automatiquement quand le jour baisse.

— La ferme, dit le père, avec ta Cadillac.

— Patrick nous les casse, dirent les jumeaux, Patrick nous les casse, Pa-trick-noulékass, Pakass nous les trique, tri casse les patates...

— Allez-vous vous taire ! dit la mère. Ah ! ces gosses !

— On n'est jamais tranquilles avec ça ! même en vacances !

— Y ne nous laissent même pas profiter du moment.

— Dire qu'il faut traîner ça ! soupira le père accablé.

— Pourquoi que tu nous as faits ? » dit parmi les soupirs la petite voix de Nicolas, supposé endormi.

Ils ne répondirent pas. On entendit des gloussements. C'était nous, pour un instant unis dans une douce rigolade. On avait tout de même quelque chose en commun. Les parents.

Il se mit à pleuvoir et on creva. Le père nota qu'on avait assez de pot, c'était le premier pépin, un pépin en quelque sorte normal et courant, dit-il en faisant marcher le cric, sous la flotte. Patrick tenait la lampe.

« Dans la Cadillac, dirent les jumeaux, quand un pneu crève, un autre pneu vient se mettre à la place tout seul. »

Néanmoins, Patrick resta avec nous. La nuit, il n'avait jamais été très fortiche.

On arriva. On réveilla l'hôtel. Le patron avait donné une des chambres, ne nous voyant pas arriver, en saison on ne peut pas garder des chambres vides. On s'installa dans deux, en attendant un départ. Le lendemain, les vacances commencèrent. Je m'attendais à aimer la Nature. Non.

*

C'étaient les mêmes gens, en somme, que je voyais d'habitude, qui étaient là. La différence est qu'on était un peu plus entassés ici dans ce petit hôtel qu'à Paris où on avait au moins chacun son lit; et qu'on se parlait. Comme ils disaient, en vacances on se lie facilement. Je ne vois pas comment on aurait pu faire autrement, vu qu'on se tombait dessus sans arrêt, qu'on mangeait ensemble à une grande table, midi et soir, et que dans la journée on allait pratiquement aux mêmes endroits. Avec ça qu'on n'avait rien à faire du matin au soir, puisque justement on était là pour ça, et même il n'y avait pas de télé pour remplir les moments creux, avant les repas, alors ils se payaient des tournées et causaient; et entre le dîner et l'heure d'aller au lit, car si on va au lit juste après manger, comme il y en avait toujours un pour le faire remarquer à ce moment-là, on digère mal; alors on allait faire un tour dehors, sur la route, prendre l'air avant de rentrer : c'était sain, disaient-ils, ça fait bien dormir; c'est comme de manger une pomme, et de boire un verre de lait, ajoutait l'un, et la conversation partait sur comment bien dormir.

Moi je dormais plutôt mal dans le même lit que mes sœurs, Catherine avec toujours ses sacrés cauchemars, qui sautait, et Chantal avec ses sacrés ronflements; et je ne pouvais même pas bavarder avec Nicolas, qui était dans l'autre pieu avec ses frères.

Le pays était beau, disaient-ils. Il y avait des bois, et des champs. Tout était vert, car l'année avait été humide. Les anciens, qui étaient arrivés avant nous, nous indiquaient où il fallait aller, comment visiter la région. On faisait des promenades; on allait par le bois et on revenait par les champs; on rencontrait les autres qui étaient allés par les champs et revenaient par le bois. Quand il pleuvait, papa faisait la belote avec deux autres cloches, également en vacances. Les gosses jouaient à des jeux cons. Les femmes, à l'autre bout de la table, parlaient de leurs ventres.

« En tout cas on se repose. Et puis il y a de l'air. disaient-ils. Pour les enfants. »

Je ne me souvenais pas d'avoir manqué d'air à la Cité. En tout cas pas au point de me faire chier tellement pour aller en chercher ailleurs.

Quel malheur qu'on ne m'ait pas donné de devoirs de vacances ! Des arbres à planter en quinconce le long d'allées qui se croisent. Des fontaines remplissant des bassins. Des conjugaisons. Le verbe s'ennuyer, si difficile : où met-on le yi ?

J'essayai de m'en inventer; mais ça ne marchait pas; les devoirs, ça doit être obligé, sinon c'est plus des devoirs, c'est de la distraction, et comme distraction, les devoirs c'est barbant.

« Promène donc Nicolas tiens, qu'on ne soit pas obligé de le traîner. »

Nicolas et moi, on ne trouvait même rien à se dire, je ne sais pas pourquoi, parce qu'enfin à Paris, il n'arrivait pas tellement de choses non plus si on veut bien regarder. C'était peut-être l'air : ils disaient aussi que le Grand Air, ça fatigue.

« Pourquoi on rentre pas à la maison ? dit Nicolas.

— Parce qu'on est en vacances.

— En tout cas on se repose », disait la mère. Elle avait pris l'habitude d'aider à l'épluchage des légumes du déjeuner, généralement des mange-tout, avec un bout de viande. Le dimanche on avait du poulet. Un des hommes commandait une bonne bouteille, que le patron

allait chercher spécialement, et qui fournissait
aussitôt un sujet de conversation, s'il était meilleur que l'autre d'avant, ou non, et de quelle
année il était, et de là quelle était la meilleure
année des dernières, et si cette année-ci où on
était serait bonne selon le soleil qu'il avait fait
et l'eau qu'il était tombé; à cette occasion notre
père montrait une connaissance du pinard dont
il ne faisait pas preuve en ville, à croire que le
bon air lui donnait de l'instruction. D'ailleurs
les autres bonshommes étaient également des
puits de science, ils étaient intarissables sur
n'importe quoi, traitant tous les sujets avec
autorité, chacun tenant à montrer aux autres
qu'il n'était pas un con et qu'il en connaissait
un bout, surtout sur les bagnoles, où on arrivait
toujours quand tout le reste avait été traité, et
dont aucune n'avait de secrets pour eux, l'Aston
et sa direction fragile, la Jaguar et ses putains
d'amortisseurs et l'Alfa avec ses réglages per-
pétuels, la 220 SL ça c'était de la vraie voiture
mais il fallait aller en Allemagne chaque fois
qu'elle perdait un boulon, quant aux Améri-
caines n'en parlons pas c'est des veaux et bref
en fin de compte le mieux c'était encore la
bonne petite Voiture Française, qui réunit le
plus de qualités sous le plus petit volume, et
économique, cinq litres au cent la 4 CV et
tellement pratique avec son moteur derrière
parce qu'on pouvait mettre les bagages devant.

« Oui mais en cas d'accident alors on dégustait, tandis qu'avec le moteur devant on est au moins protégé.

— On est peut-être protégé, mais le moteur lui l'est pas, et là où on déguste c'est sur la facture.

— Vaut mieux déguster sur la facture que sur la fracture ! »

Rires.

« De toute façon quand on en est à avoir bousillé son moteur c'est bien rare qu'on n'en ait pas pris un coup en même temps, alors où est l'avantage ?

— La Stabilité.

— Ah ! permettez alors pour la Stabilité la Traction, dit le père.

— On parle pas des grands accidents bien sûr parce que là bien sûr y a rien à faire, mais dans les petits chocs alors là avec la 4 CV y a jamais que de la tôle à redresser.

— On peut avoir aussi des chocs derrière si vous allez par là.

— Oui, mais alors c'est l'autre qui est dans son tort et il y a l'assurance qui joue.

— Elle joue aussi dans l'autre sens.

— Pas pour les collisions quand on est dans son tort.

— Assurance pas assurance, moi si vous voulez mon avis moi j'aime mieux une voiture qui tient la route, comme la Traction — ça c'était

papa — Avec la Traction dit papa vous avez
jamais de pépins. Ça se retourne jamais. Au
virage, vous la sentez qui colle à la Chaussée, et
plus ça va vite plus elle colle.

— Oui mais vous avez vu ce que ça bouffe
comme essence ? Moi avec ma 2 CV je mange
5 litres au cent. Mon voyage ici m'a coûté
voyons 5 par 6 attendez ça fait trois cents, non
trois mille, je veux dire trente francs. Avouez
que c'est pas cher.

— L'économie c'est bien mais la sécurité
d'abord, dit papa. Moi avec ma famille j'ai
besoin de sécurité, et en plus si je divise par
le nombre attendez ça fait, dix par six voyons,
oui et divisé par neuf, bref ça me revient pas
plus cher.

— Eh bien, je crois que je vous bats ça m'est
revenu attendez...

— Vous vous n'êtes que cinq en tout, nous
on est neuf. Y a qu'à faire le compte. Et puis
où je les mettrais, dans une 4 CV ?

— Sous le capot ! »

Rires.

« Et où je mettrais les bagages ? dit le père.
Hein ? Où je les mettrais. Vous voyez.

— Nous on tient à sept dans ma 2 CV, et
la sécurité c'est pareil, c'est la traction avant
aussi.

— Oui, mais à quelle vitesse vous allez ? »

Pieuchet, de la 2 CV, se crispa : c'était son

humiliation, de ne pas aller vite. Il le savait,
et n'y pouvait rien. Sur la route, tout le monde
passait devant lui, il arrivait toujours les nerfs
à plat et il fallait qu'il dorme un jour entier.

« Moi pour venir ici j'ai mis, enfin j'aurais
mis s'il n'y avait pas eu cette saloperie de môme
qui nous a perdu bien deux heures, attendez...

— Moi j'ai mis dans les sept heures. Un peu
moins.

— J'aurais donc mis cinq heures et demie,
si j'avais pu conserver ma moyenne. Hein, c'est
pas si mal, non ? »

Il oubliait quand on avait changé la roue,
en plus de rabioter sur l'ensemble, mais il avait
gagné la course de conversation c'était le principal.

« Peut-être, dit Pieuchet, mais après tout
quand on part en vacances on n'est pas pressés.
Et en ville, j'ai tous les avantages.

— Pas les Reprises ! intervint Charnier, de
la 4 CV. Pas les Reprises ! la 4 CV, c'est la
plus nerveuse des voitures. Aux feux, c'est elle
qui démarre bille en tête avant tout le monde.

— Oui mais après, moi j'arrive, dit papa. Et
je passe.

— Oui, et quand vous tournez, c'est moi qui
repasse ! La 4 CV ça se glisse partout, c'est
léger, maniable...

— C'est tellement léger que ça se retourne
comme une crêpe. Un coup de vent et hop. Sur

la route en venant j'en ai vu deux dans les champs, les pattes en l'air, dit Pieuchet.

— On est pas obligé de faire l'andouille, dit Charnier.

— Un coup de vent, et hop ! dit Pieuchet, ravi.

— La 2 CV c'est du vrai carton, y a qu'à y mettre le doigt pour faire un trou. Dit Charnier.

— Tiens, vous essaierez pour voir. On verra qui c'est qui fera le trou le premier.

— La Traction, c'est du solide, dit papa. Un tank.

— Ça ne braque pas, jeta Charnier.

— Bien sûr faut pas une fillette pour la manier, dit papa. C'est une vraie machine, pas un jouet. Une voiture d'homme. Et ça arrache. Même en côte.

— En côte la 4 CV est imbattable.

— Sauf par la Traction !

— Si vous allez par là les Rolls elles vous doublent comme une fleur.

— On parle pas des Rolls. C'est spécial les Rolls. C'est la voiture de prestige. Nous ici on préfère ne pas faire la voiture de prestige et fabriquer beaucoup de bonnes petites machines, correctes. C'est tellement vrai que les étrangers en achètent plutôt que les leurs.

— Moins. Ils en achètent moins. Ils ont compris, ils se sont mis à en fabriquer.

— Attendez, attendez ! Attendez qu'ils es-

saient ! peut-être qu'ils y reviendront, à nos
Dauphines ! Nos Dauphines elles craignent personne moi je vous le dis.

— Ça, la Dauphine...

— Ça oui...

— Dommage qu'elle soit si cher...

— Oui et pour le prix elle est pas tellement plus spacieuse que la 4 CV alors quand
on est beaucoup...

— La France a jamais fait une meilleure
voiture que la Traction. Vingt ans d'avance
sur l'Industrie automobile mondiale.

— Peut-être, mais on n'en fabrique plus.

— Ça sert à rien de pleurer sur le passé.

— Elles tiennent encore drôlement le coup.

— Y en a de plus en plus qui vont à la
casse, et pour les pièces bientôt ce sera tintin.

— Le cardan. C'est le point faible.

— Ils auraient mieux fait de la moderniser
un peu et de garder leur vieux moteur. La
D S les vaudra jamais.

— Non. Elles ont des pépins.

— C'est des vrais wagons.

— Difficile à manier.

— A garer en ville, impossible.

— Et ça bouffe.

— Ça ne braque pas, dit Charnier.

— On est bien assis, concéda Pieuchet. Dans
la Traction on était mal derrière.

— Une voiture c'est pas un pageot. C'est un

moyen de transport. Grande comme elle est, la
D S en tient moins que la Traction en tenait.
Neuf là-dedans, et à l'aise.

— Au fait, comment vous ferez l'an pro-
chain », dit Pieuchet, à Charnier, en jetant un
regard plein de malice vers sa dame, située
avec les autres épouses à l'autre bout de la
table, de laquelle son ventre en poire la tenait
un peu à distance.

« Surtout si c'est des jumeaux », dit fine-
ment papa.

Tous les hommes pivotèrent, rigolards, vers
les femmes, spécialement celle récemment fécondée.

« Eh, vous croyez que ce sera des jumeaux ?
demanda papa, jetant un pont entre les sexes.

— Le docteur dit que ça se pourrait bien,
dit Mme Charnier, tournant vers les géniteurs
sa figure déjà cheval et éclairée du sourire
placide des futures mères.

— Bah ! c'est pas plus terrible que d'en avoir
un, dit la mienne, forte de son expérience. Et
comme ça ça vous fera cinq d'un coup, c'est
avantageux.

— C'est mignon des jumeaux, dit attendrie
l'épouse Pieuchet.

— Je la regretterai, dit Charnier, c'était une
bonne petite bagnole, mais si on est sept je
serai obligé de m'en séparer. Je la regretterai.
C'était une bonne petite bagnole.

— Moi quand j'ai eu les miens, ils étaient tout roses et blonds; des vraies petites miniatures. Et regardez-les aujourd'hui ! »

On ne pouvait pas les voir, car ils étaient dehors, à patauger dans le ruisseau, pour leur élevage de têtards.

« Et qu'est-ce que vous prendrez à la place ?

— Je ne sais pas. Je me tâte. Peut-être une 2 CV.

— Ils me les ont perdus pendant six mois, et quand ils nous les ont rendus... » la mère baissa la voix en vue sans doute de confier aux bonnes amies le lourd secret de la substitution; les têtes se penchèrent.

« Prenez donc une Traction, c'est ce qu'il y a de mieux. Finalement. Si c'est cher de consommation au moins c'est pas cher à l'achat, et l'un dans l'autre on s'y retrouve. Finalement. Croyez-moi. Prenez une Traction.

— Oui, mais faut encore voir sur quoi on tombe. C'est ancien maintenant.

— Ah ! ça. Faut s'y connaître, dit papa.

— Quand j'ai vu ma petite fille toute nue au milieu des blocs de glace, j'ai poussé un cri terrible, Mon Dieu j'ai dit mais ils vont me la tuer ! c'est le seul moyen de la sauver m'a dit le médecin, et en effet. »

Les regards féminins se tournèrent vers Chantal, dans le coin de la fenêtre, qui jouait avec la petite Pieuchet à habiller et déshabiller et

rhabiller et redéshabiller une poupée en ga-
zouillant bêtement. Se voyant l'objet de l'attention elle sourit et rappliqua dans les jupes, en
racontant gravement que la poupée avait fait
pipi dans sa culotte et qu'il avait encore fallu
la changer.

« C'est comme Catherine, expliqua ma mère
aux autres conasses, à son âge penser que ça
lui arrive encore. Au fait, où elle est ? Josyane,
va chercher Catherine !

— Elle est sûrement dans la grange, dis-je,
sans bouger, car j'avais dégotté un bouquin et
je lisais.

— C'est comme mon petit Daniel, dit la
femme Pieuchet; à trois ans et demi, il faisait
encore au lit, et pas moyen de lui passer. Tous
les matins on le trouvait mouillé, tous les
matins il avait sa fessée, et toutes les nuits il
recommençait.

— Vous ne l'avez pas amené ?

— Nous l'avons perdu, dit la mère avec un
gros soupir.

— Oh ! dirent les autres.

— La leucémie. A six ans.

— Oh !

— On les met au monde, et puis... » Elle fit
un geste des bras comme pour dire qu'ils nous
échappent.

« Ah ! vous l'avez dit.

— C'est notre vie, à nous les femmes.

— Et pourquoi tant de souffrances, on se le demande. »

Elles firent un instant silence, pour méditer.

« Josyane, je t'ai pas dit d'aller chercher Catherine ? »

Le bouquin était sur une orpheline qui s'était fait planter un môme par un duc, et elle s'apercevait que c'était son frère, du moins c'est ce que j'avais compris, en tout cas c'est ce que lui révélait la duchesse, et elle s'enfuyait dans les bois avec son précieux fardeau, et là il arrivait un bonhomme, le garde-chasse de la duchesse, qui n'avait qu'un bras, et j'aurais bien voulu savoir ce qu'il allait en faire. En tout cas ça me barbait d'aller chercher Catherine, et de me mettre en quête de sa culotte qu'elle avait probablement enlevée, c'était le truc qu'elle avait trouvé pour cacher qu'elle avait fait pipi dedans, elle l'enlevait et elle la planquait; puis elle s'asseyait devant une porte pour se faire sécher, et tous les garçons qui passaient regardaient. Quand je voulais la retirer de là elle me filait des coups de pieds. Pour retrouver la culotte c'était plus facile, parce que dès que je m'approchais de l'endroit elle se mettait automatiquement à brailler; heureusement sinon la mère râlait, car les culottes sont chères.

« Il pleut, maman, elle s'est sûrement abritée dans la grange.

— Quel sale temps, dit l'enceinte.

— Mais non il ne pleut pas, minauda Chantal, pour m'emmerder.

— Tiens oui ça s'est arrêté, dit un des pères, venu sur la porte et ayant tendu la main dehors.

— On va pouvoir aller faire un tour alors.

— Je ne sais pas si c'est prudent, dit le père qui s'était entièrement sorti, et observait le ciel d'un œil critique. Ça va retomber d'une minute à l'autre.

— On n'a pas eu de veine cette semaine, qu'est-ce qu'il est tombé. La semaine dernière c'était mieux. On a eu beau temps tout du long, dit Pieuchet, qui était arrivé avant nous, et aimait avoir l'air plus verni que tout le monde.

— Tout du long, tout du long, dit Charnier, faut pas exagérer. Il a plu.

— Il a plu un peu.

— Il a plu pas mal, dit Charnier.

— Moins que cette semaine-ci, dit Pieuchet. Cette semaine-ci ça n'a pas arrêté.

— Mardi il a fait beau.

— Une éclaircie, dit Pieuchet.

— Une éclaircie toute la journée, dit Charnier. Il a fait beau.

— Il en est tombé dans l'après-midi, dit Pieuchet : on était aux carrières et on a dû se mettre sous une grotte, je me souviens.

— Une averse, dit Charnier, une simple

averse, cinq minutes après c'était sec. On était au village je me rappelle, on n'a même pas eu le temps de finir notre verre, le soleil était revenu.

— C'est l'année dernière qu'il a fait beau ! intervint Mme Pieuchet. Tu te souviens ? On était à Lancieux. Quel bel été !

— Ce qui console c'est que cette année en juillet ça n'était pas mieux.

— C'est un été pourri.

— C'est bon pour les récoltes, dit Charnier.

— Pas forcément. Pas pour tout. « Pluie d'août, mauvais moût. »

— Ah !

— C'est les pluies de printemps qui sont bonnes pour la culture. Pas celles d'été. »

C'était papa qui s'exprimait ainsi. J'aurais pas cru qu'il s'y connaissait là-dedans non plus.

« Tiens, ça remet ça vous voyez.

— C'est qu'un grain. Ça ne va pas durer. La pluie ne fait pas de bulles quand elle tombe. Quand la pluie ne fait pas de bulles quand elle tombe, c'est que ce n'est qu'une averse passagère.

— On dirait que c'est un peu plus clair là-bas, vers le transformateur.

— Ça va peut-être s'arranger.

— Je vous le disais bien. »

Le piquet de la météo se tenait sous l'auvent, observant la marche des nuages. Ils calculèrent d'où venait le vent. De l'Est-Sud-Est. C'était bon, ça allait sûrement s'arranger.

« Ce que j'aimerais vous voyez, c'est trouver une bonne 203, dit Charnier, rêveusement, le nez au ciel. Pas trop neuve, mais bonne.

— Peugeot il faut dire, c'est la bonne Mécanique française...

— Cent mille avant la première réparation...

— Et les pièces, presque pour rien.

— L'ennui, c'est le prix. Même vieille.

— En quatrième, le Freinage est ardu.

— Mais non, c'est des histoires !

— Elle a un Châssis.

— Mais non elle a pas de Châssis.

— Si, je vous le dis, elle a un Châssis.

— Mais non elle a pas de Châssis.

— Quand même.

— Oui.

— On en tape une en attendant ? »

Ils refluèrent vers le 32.

« En tout cas, on se repose. »

Je me demande pourquoi on ne nous faisait pas une piqûre qui nous ferait dormir pendant le temps du congé, ça nous reposerait encore mieux et au moins on n'aurait pas l'emmerdement de s'en apercevoir. Ça, ça serait des vraies vacances.

Un jour on alla visiter le barrage. Les hommes étaient en extase devant le béton, la quantité qu'il en avait fallu pour retenir toute cette

eau, et le travail que ça avait exigé; Charnier
demanda aux gardiens s'ils étaient sûrs que
c'était solide. Je connais rien de plus triste
qu'un barrage, sauf peut-être un canal, on en
visita un aussi. Tous les jours on cherchait
quelque chose à visiter. Les femmes tricotaient
des pull-over pour l'hiver, qui en somme n'allait
pas tarder. Après déjeuner, les hommes racon-
taient des histoires cochonnes. Finalement le
garde-chasse recueillit la pauvre orpheline, et
lui révéla que c'était elle en réalité la véritable
héritière du château, dont la duchesse-mère
s'était emparé indûment grâce à une substitution d'enfants au berceau, mais l'orpheline avait
un signe sur la poitrine que le garde-chasse finit
par découvrir, en fait elle s'était mépris sur ses
intentions. L'héritière épousa le duc-fils, qui du
coup n'était plus son frère, et ils eurent beaucoup de petits ducs. Enfin on reparla de
rentrer. La conversation se mit sur le boulot,
chacun racontait le sien, on comparait les avantages et les inconvénients ; ça s'animait. Dommage que ce soit fini on commençait vraiment
à s'y mettre, hélas ! les meilleures choses n'ont
qu'un temps. D'ailleurs dans le fond on aime
bien retrouver son petit chez-soi. On est content
de partir mais on est content aussi de revenir.
    Les nouveaux débarquèrent pendant qu'on
chargeait les paquets. Ils furent d'entrée affran-
chis sur les coutumes de la maison, l'heure des

repas, comment ne pas braquer la patronne, où aller se promener; comme ça ils se sentirent tout de suite moins dépaysés.

Il y avait un petit garçon, dont l'air dégoûté me plut. Dommage, on aurait pu s'ennuyer ensemble. En partant je lui dis : « Qu'est-ce qu'on s'emmerde ici tu vas voir. » Histoire de lui donner du courage, il n'y a pas de raison.

On embarqua; ils se firent des grands adieux, ils se regrettaient, ils étaient copains comme cochons; ils échangèrent les adresses, il faudrait se revoir à Paris, ne pas se laisser tomber. La joie de la séparation. Tout le monde était sur le seuil pour nous voir partir, les vieux agitaient les bras par les portières. Patrick était dans le fond, couvert de bleus, les types du coin lui avaient présenté la facture en bloc juste avant le départ, à cinq contre un; les jumeaux surveillaient leurs têtards dans une bouteille; Chantal se prélassait dans le pull-over que la mère lui avait fait. On démarra, en broutant, sans que Patrick l'ouvre.

« Et voilà, dit le père, filant sur la route. En voilà encore une de tirée.

— Eh oui », répliqua la mère.

On roula. On était silencieux. On rentrait. Finies les vacances. Heureuse, je voyais défiler les platanes. A mesure que Paris approchait mon cœur dansait.

Guido n'était plus là.

IV

J'EN ai attendu des 115 ! J'en ai attendu. J'en
ai regardé descendre des types, de ces foutus
bus. Longtemps après que je n'y croyais plus,
j'y croyais encore — ou alors qu'est-ce que je
faisais là, qu'est-ce que j'attendais si je n'attendais rien ? Justement ils avaient mis un banc;
c'était sans doute pour moi, pour que je me
repose un peu, le découragement ça fatigue.
Il y avait des soirs, je ne pouvais plus porter
les bouteilles. Je ne pouvais plus les porter.
Elles me seraient tombées des mains.

Je m'asseyais sur le banc. Je n'y croyais plus.
Je regrettais. Je regrettais, je regrettais, je regrettais.

C'était encore presque l'été; ici, c'était beau
la nature; il y avait des étoiles. En renversant
la tête je les voyais. Là-bas je n'y avais seulement pas pensé.

J'allais dans la petite rue, où j'étais allée avec
Guido. Mais ça ne m'avançait à rien. Il y avait

un trou à côté de moi, où Guido aurait dû être.

Quelques baraques avaient encore été démolies, des allées coupées, des jardins effacés. Les endroits changent vite ici. Avec le bulldozer pas de problèmes; un jour il arrive et le lendemain on ne reconnaît plus rien.

J'allais traîner dans les grands blocs, en face, où Guido habitait; on avait mis partout des pelouses régulières, entourées de grillages pour que les mômes n'y cavalent pas, on avait planté de jeunes arbres également dans des grilles pour que les mômes ne les massacrent pas; comme ça ça leur faisait un Espace Vert, qu'ils le veuillent ou non. Ce que je me demande c'est pourquoi on ne fout pas plutôt les mômes dans les grillages et les arbres en liberté autour. La maison du vieux était partie, avec sa vigne — Guido m'avait dit que c'était une vigne — et à la place il y avait un rang de lampadaires vert pomme.

Le panneau « Foyer du Bâtiment » n'était plus là, sur le dernier bloc, on n'entendait plus chanter en italien par les fenêtres, on ne voyait plus les gars, le torse nu, en train de se raser, ils n'étaient plus sur les balcons, à six heures, à appeler les filles; à la place il y avait des couches qui séchaient. C'était fini. Guido était parti parce que les maisons étaient finies c'est tout.

Le soir les fenêtres s'allumaient et derrière il

n'y avait que des familles heureuses, des familles heureuses. des familles heureuses, des familles heureuses. En passant on pouvait voir sous les ampoules, à travers les larges baies, les bonheurs à la file, tous pareils comme des jumeaux, ou un cauchemar. Les bonheurs de la façade ouest pouvaient voir de chez eux les bonheurs de la façade est comme s'ils s'étaient regardés dans la glace. Mangeant des nouilles de la coopé. Les bonheurs s'empilaient les uns sur les autres, j'aurais pu en calculer le volume en mètres cubes, en stères et en barriques, moi qui aimais faire des problèmes.

Le vent soufflait sur le plateau d'Avron, entre les blocs comme dans les canyons du Colorado, qui n'est sûrement pas aussi sauvage. Au cré-puscule, au lieu des coyotes hurlaient les spea-kers pour nous dire comment avoir tous les dents blanches et des cheveux qui brillent, comment être tous beaux, propres, bien portants et heureux.

Moi le bonheur, ça me tue. Je pleurais. Je ne sais même pas si c'était Guido que je pleu-rais. Ou alors à force de dire que c'était un Martien, j'avais fini par pleurer la planète Mars et tout ce que j'avais mis dessus. et qui n'était pas sur celle-ci. Je marchais au milieu des blocs et je pleurais.

Ces blocs, c'était quelque chose d'extraordi-naire. Je ne sais pas où il faudrait voyager dans le monde pour trouver quelque chose d'aussi extraordinaire. Je suis sûre que les déserts, ce n'est rien à côté.

« Tao est parti Nicolas. Il est retourné sur Mars. Il en a eu assez. »

Le soir je pleurais dans mon lit. Ces temps-ci je pleurais tout le temps, je ne sais pas ce que j'avais, c'était peut-être l'âge.

« Pleure pas Jo. Je veux pas que tu pleures. Je casserai toute la baraque. »

Nicolas m'entendait pleurer, il se levait et venait me consoler.

« Je tuerai Patrick. Je tuerai tout le monde. Tao reviendra.

— Il n'y a pas que Tao, j'en ai ma claque.

— Je les tuerai tous. Je jetterai une bombe atomique et je démolirai toutes les baraques. Pleure pas. On ira sur Mars. Quand je serai grand, tu seras ma petite sœur.

— Heureusement que t'es là. Toi tu comprends tout, tu as une âme.

— J'ai une âme rouge. Le soir je la sens, ici. Elle me brûle. »

Nicolas partit au prévent. Sa cuti était positive. Pourquoi lui ? Pourquoi pas Chantal, puisque c'est elle qui toussait ? Ce n'était pas juste.

« D'un côté, commenta la mère, ça fera une place pour le bébé, je me demandais bien comment on s'arrangerait pour les lits. »

Elle arrivait dans son huitième mois. On n'avait pas de quoi acheter un nouveau lit, et les hamacs c'est dangereux, on avait lu dans le journal cette petite fille qui était tombée de son hamac parce que ses parents n'avaient pas de quoi lui acheter un lit. Elle était tombée pendant que son père regardait par la fenêtre dans le parking sa bagnole dans laquelle il n'avait même pas de quoi mettre de l'essence.

« Et si des fois Nicolas ne mourait pas par hasard on ne sait jamais, comment tu feras quand il reviendra ? criai-je, furieuse.

— A ce moment-là on verra. On a le temps d'y penser.

— T'as raison, peut-être qu'après tout le bébé sera mort-né, comme l'autre d'avant, dis-je d'une voix douce, en finissant d'essuyer l'assiette. Faut jamais se biler d'avance. »

La mère, ne sachant pas si c'était du lard ou du cochon, me regarda en coin pour se faire une opinion, mais j'avais pris un air con, et une autre assiette, et elle ne put pas se la faire. Concernant les enfants dans son ventre elle était assez sensitive.

Moi j'étais de plus en plus teigne. Nicolas me manquait, et j'avais peur qu'il meure; c'est toujours ceux-là. Et ça m'énervait d'attendre un autre bébé, je me demandais quel genre de cloche ça allait encore être, et de quelle manière il allait s'y prendre celui-là pour m'em-

merder, sans parler des couches qui étaient courues d'avance, car avec tout le progrès on n'est pas
encore arrivé à faire des enfants qui chient pas.

Les vieux étaient contents. Quand on est sept
autant être huit, carrément. Ils allaient pouvoir
continuer les traites de la voiture. Ils n'auraient
pour rien au monde voulu la lâcher, d'autant
que les Mauvin venaient de s'en payer une
plus neuve, et en plus ils avaient un mixeur
et un tapis en poil animal.

« Et mon frigidaire, il est là! » proclamait
Paulette en se tapant sur le ventre à la coopé
devant les autres bonnes femmes.

Nous pour le frigo il nous faudrait au moins
des triplés d'un coup. La mère jeta à sa rivale,
qui avait cinq semaines d'avance sur elle, un
regard mauvais.

« Et j'irai jusqu'à la machine à laver !

— Nous la machine à laver on l'a déjà, se
revancha la mère. Depuis longtemps. Je trouve
que c'est la première chose dans une maison.
Pour le linge, précisa-t-elle.

— Moi mon mari il ne supporte que la qua-
lité, dit Paulette, invaincue. On préfère ne pas
se presser, mais avoir du bon. »

Elle faisait allusion à notre sacrée vieille
machine, toujours déréglée, et qui a une fois
pissé dans son plafond.

Lâchement, la mère se retourna contre le
destin.

« Moi si mon avant-dernier était pas mort à la naissance, et si j'avais pas eu cette fausse-couche au départ qui m'a laissé des mois patraque et d'ailleurs je m'en suis jamais vraiment relevée, on aurait tout aujourd'hui, et peut-être même on aurait eu le Prix.

— Ben moi j'en ai eu trois de mort-nés ! dit Paulette. Et vous voyez, je suis encore là ! Et je peux encore servir », dit-elle avec son grand rire sain.

Une jeune mère de seulement trois enfants, qui n'attendait son quatrième que pour le printemps, regardait ses aînées avec admiration, en rêvant d'entrer dans la carrière.

« Vous en faites pas madame Bon, lui dit l'épicière, ça vient petit à petit, sans qu'on s'en aperçoive. »

Il entra une autre enceinte qui se mit aussitôt au diapason. Je me reculai dans les cageots. Y avait plus où se mettre dans la boutique, en ce moment le matin à la coopé c'était un vrai concours de ballons, cette Cité c'est pas de l'habitat c'est de l'élevage. Et sensibles avec ça, fallait pas les effleurer, avec leur précieux fardeau, elles auraient écrasé tout le monde, et surtout que moi à ce moment-là je leur arrivais à l'estomac, je voyais plus que ça dans le paysage et je risquais à tout moment d'être aplatie entre deux cloques.

Paulette fraya un passage à la sienne parmi

les autres, et sortit pleine de dignité le ventre en avant avec son frigidaire dedans, et derrière la machine à laver qui trépignait en attendant d'être fécondée.

Elle eut un garçon. Elle ne faisait que des garçons, et elle en était fière. Elle fournirait au moins un peloton d'exécution à la patrie pour son compte; il est vrai que la patrie l'avait payé d'avance, elle y avait droit. J'espérais qu'il y aurait une guerre en temps voulu pour utiliser tout ce matériel, qui autrement ne servait pas à grand-chose, car ils étaient tous cons comme des balais. Je pensais au jour où on dirait à tous les fils Mauvin En Avant ! et pan, les voilà tous couchés sur le champ de bataille, et au-dessus on met une croix : ici tombèrent Mauvin Télé, Mauvin Bagnole, Mauvin Frigidaire, Mauvin Mixeur, Mauvin Machine à Laver, Mauvin Tapis, Mauvin Cocotte Minute, et avec la pension ils pourraient encore se payer un aspirateur et un caveau de famille.

Nous on eut une fille. On panachait. Ils l'appelèrent Martine, en souvenir de cette patate de Martine Pieuchet des vacances qui passait sa vie à déshabiller des baigneurs et à leur faire faire pipi par un petit trou. La gosse avait l'air normale. Il fallait attendre. Je me dis qu'avec un peu de veine d'ici dix ans elle pourrait me relayer. Je repassai avec soulagement la queue de la poêle à la mère. Quand

elle n'était pas là ils avaient des exigences de
seigneurs. Le père voulait de la soupe passée et
un pli à son pantalon. Je sais pas pourquoi il
voulait un pli à son pantalon spécialement
quand sa femme était en train d'accoucher. Il
ne courait pas papa; tout juste s'il restait un
peu plus tard quand elle était pas là, pour
l'apéro; mais rien de trop; il ne buvait pas non
plus papa, du moins pas comme il y en a, qui
sont des exceptions, on les connaît dans la Cité;
papa quand il avait un coup de trop il était
juste un peu plus abruti que d'habitude, ça ne
se voyait pas; même quand sa femme n'était
pas à la maison et qu'il se laissait un peu plus
aller, se sentant libre, forcément, il ne nous
cognait pas plus; seulement il se sentait le maî-
tre; avec elle il était plus modeste, car elle lui
faisait aussitôt remarquer qu'avec ce qu'il appor-
tait, et la vie qu'elle avait avec nous, et sa
santé, et elle se mettait à enfiler un tel chapelet
qu'il en perdait l'envie de recommencer la
prochaine.

Dès qu'elle rentra Chantal tomba malade;
elle dit qu'elle avait mal à la gorge depuis
huit jours et que je ne l'avais pas soignée; en
effet chaque fois que je lui faisais râper du
gruyère elle avait mal à la gorge; je mettais du
râpé dans tout, et je leur donnais à manger rien
que des trucs qu'ils n'aimaient pas, on se
distrait comme on peut. Aussi étaient-ils toujours

très contents quand la mère rentrait à la maison, le nouveau bébé sur les bras.

En tout cas elle avait eu raison de ne pas se biler, tout s'arrange toujours, le problème des lits se régla tout seul; quand Nicolas revint du prévent Catherine était aux Arriérés. Il avait fallu l'y mettre, l'école ne voulait pas la garder, elle n'entravait rien, et faisait tout un tas de conneries qui troublaient le déroulement des classes ; en plus ils s'étaient aperçus qu'elle était à moitié sourdingue, non seulement elle ne comprenait rien mais elle n'entendait même pas. On lui fit des tests, la docteuresse des Allocations la regarda une demi-heure et dit qu'elle avait un âge mental de quatre ans, que ça coûterait très cher de la rattraper, c'était un traitement long et onéreux qu'on ne pourrait pas assumer, et en tout cas la gosse ne serait jamais capable de gagner sa vie, et qu'il n'y avait qu'à la mettre tout simplement dans un bon Asile où on n'aurait plus jamais à s'en occuper. Au suivant.

« C'est tout de même bien fait leur truc dit la mère, en un rien de temps ils vous expédient ça. »

Il paraît que cette docteur-là dans sa matinée elle en avait envoyé quatre comme ça à la poubelle.

Ils l'emmenèrent tous les deux, les parents, là-bas. Ils lui avaient caché où elle allait, pour un coup le mot Arriéré n'avait pas été prononcé, et le voyage était présenté comme une partie de plaisir. Mais Patrick se fit une joie de vendre la mèche au moment du départ; ça le transforma en un bel enfer. Arrachée aux meubles, un par un. Catherine hurlante fut traînée à peu près sur le ventre jusqu'à la voiture, ameutant les deux rangées de blocs; les bonnes femmes s'étaient mises sur les portes avec des airs outrés, une parla tout haut d'appeler la police : elles ne supportaient pas qu'on touche à un cheveu d'un enfant des autres; il faut le dire d'ailleurs il y avait très peu d'Enfants Martyrs dans notre Cité, avec ces murs à travers lesquels on entendait tout un bourreau d'enfants n'était pas long à être repéré et dénoncé, l'Assistante se mettait en branle, et tout rentrait rapidement dans l'ordre; et si ce n'était pas à la Cité c'était à l'école, les maîtresses étaient à l'affût des cas; une fois on avait eu une petite fille martyre dans la classe, la maîtresse essayait de la cuisiner, la môme n'osait rien dire; elle était couverte de bleus. Finalement ils arrivèrent à la faire avouer, sa photo parut dans le journal, et elle alla bel et bien à l'Assistance. Les gosses maintenant sont tout de même mieux protégés.

Bref dans notre cas l'Assistante arriva pour aider les parents, et les bonnes femmes comprirent que c'était régulier. Catherine hurlait qu'elle ne voulait pas aller aux Arriérés, elle

avait tant crié qu'elle n'avait presque plus de
voix, elle s'était tant agrippée qu'elle n'avait
presque plus de forces; si elle était dingue, elle
savait au moins où était son intérêt. Elle se
tenait encore aux pare-chocs. Mais maintenant
ils étaient trois contre. On l'enfourna, je vis
une dernière fois sa vilaine figure, c'est vrai
qu'elle n'était pas belle la pauvre môme, toute
bouffie, et marbrée de cambouis et de larmes,
elle essayait de sortir par la fenêtre, on remonta
la vitre. Elle trouva la force de pousser un cri
avant que ce soit fermé. L'innocente appelait
son frère. La voiture démarra, partit, disparut.
Je me mis à pleurer. A un mètre de moi je vis
Patrick, la tête haute; il se détourna de la grille,
et, les mains dans les poches, partit en sifflotant.
Je me retournai sur lui si sec qu'il ne vit rien
venir, et d'un seul mouvement je lui en filai
un grand coup dans la gueule. Il venait de loin
celui-là. Il se rebiffa, les jumeaux lui rentrèrent
dans le chou, et Chantal voyant que ça se
présentait bien me pinça. Je l'envoyai rouler
d'un coup de pied. Le gardien arriva pour
nous séparer.

« Si c'est pas malheureux, dit une bonne
femme, à peine les parents le dos tourné.

— Je vous emmerde, répondis-je, c'est pas
vos oignons.

— Allez vous faire bourrer », précisa Patrick,
et là il n'avait pas tort.

Sa bouche saignait, je lui avais cassé une dent je ne sais pas comment, un miracle. Il garda le trou, et ça me faisait toujours plaisir à voir. Après tout c'est le seul souvenir qui nous resta de Catherine.

Le soir il y eut une séance, à la suite du rapport du gardien et du constat des dégâts vestimentaires, toujours mal supportés. Le raccommodage de toute façon c'était pour moi.

« On s'esquinte pour cette vermine, dit le père, et on n'en a que des emmerdements.

— C'est ce con-là qui a dit à Cathy qu'elle allait aux Arriérés, dirent les jumeaux.

— Vous, dit Patrick, tout ce que vous avez à faire c'est de la boucler et de dire merci quand on vous met quèque chose dans votre assiette. » Il zozotait, à cause de sa dent. « Vous n'êtes même pas de notre sang, dit-il.

—— Ton sang tu peux te le foutre au cul », dirent les jumeaux, et le plus près du père reçut une baffe mais s'en foutit, car ils avaient la peau dure.

« Tu peux le bouffer en salade, relaya l'autre, situé plus loin du père, c'est du sang de navet », et il reçut la sienne de la mère, qu'il voisinait malheureusement.

Là-dessus le père et la mère échangèrent un long regard. Je connaissais l'histoire. J'avais cru comprendre à des allusions grosses comme des maisons qui leur échappent par-ci par-là parce

qu'ils nous croient toujours trop bouchés pour
comprendre, qu'ils avaient entrepris une espèce
d'enquête pour Substitution d'Enfants, dont il
y avait tellement d'exemples dans les journaux,
ça les avait encouragés. Ils voulaient récupérer
leurs beaux bébés blonds et roses, tels que la
mère les voyait dans son souvenir maintenant,
et Dieu sait ce qu'ils étaient en réalité, moi à
leur place je me serais méfiée, j'aurais gardé
ceux-là qui au moins n'étaient pas crétins, c'est
déjà ça. Mais on les traitait partout de bicots, et
ça vexait les parents, d'autant que ça se pouvait
bien que ça soit vrai; eux d'ailleurs s'enten-
daient bien avec les petits arabes, à force, et
aussi pour emmerder la bande à Patrick, qui
était toujours en bagarre avec eux. Ça faisait des
histoires avec les autres familles, les parents en
étaient gênés à la fin, ils en avaient marre de
ces jumeaux-là, ils auraient voulu en changer.

Les petits se rendaient compte de quelque
chose eux aussi, ils n'étaient pas sourds. Ils se
mettaient de plus en plus à part, et devenaient
hargneux.

Giflés, ils se marraient en regardant Patrick,
dont la lèvre justement, grâce à moi, saignait,
laissant échapper le précieux sang des Rouvier.

« T'es pas beau t'es moche t'as plus de dents
tu louches... »

Patrick amorça un lever de chef; le père le
rassit d'une main ferme et douce.

« Laisse-les », dit-il méprisant ceux qui n'appartenaient déjà plus au monde. Je savais que toute la question était de retrouver les vrais avant de lâcher ceux-là, pour conserver le chiffre, et si les autres étaient morts c'était embêtant. « Et vous, taisez-vous ! ajouta le père, plus rude, à l'intention des jumeaux. Je vous conseille de ne pas faire trop les malins. »

Ils se turent. Ils sentaient le vent. Il y eut un silence complet, ce qui n'arrivait jamais chez nous; tous instinctivement on regarda autour dans la pièce, qu'est-ce qui manquait donc ? Catherine. On n'entendait pas son rire idiot, comme chaque fois qu'il y avait une scène. Ça faisait un vide. Je dis d'un ton neutre :

« Un ange passe. »

La mère alla chercher les nouilles, ils tendirent leurs assiettes. Je dis :

« C'est comment, cet asile ? »

Ils firent des bruits vagues, des haussements d'épaules, et le père pivota pour ouvrir la télé, qu'il avait oublié de mettre dans le feu de l'action; l'image dansota, il n'arrivait pas à régler. Je dis :

« Peut-être qu'elle ne vivra pas... »

Personne pipa. Le père actionnait les boutons. L'ange repassa. Il faisait les cent pas. Je dis :

« Ça vaudrait mieux pour elle.

— Ah ! merde, dit le père, qu'est-ce qu'il a ce machin ?

— Le potentiomètre, dit Patrick. Faut le pousser plus.

— Qu'est-ce qui veut encore des nouilles ? dit la mère. Chantal, tu ne manges pas ?

— J'ai pas faim, dit Chantal, j'ai mal là », dit-elle en désignant sa poitrine et en commençant une quinte; elle dit que je lui avais envoyé mon pied dans les poumons. Mais moi je savais bien que je lui avais collé dans le ventre.

Quand elle eut fini de tousser, je dis :

« Si elle mourait, Catherine, on ne toucherait plus ses Allocations ?

— Ah ! ça va ! dit le père en cognant sur la table. Mêle-toi de ce qui te regarde ! »

Il mit la télé en plein.

Nicolas alla dans le lit de Catherine. La vie continue.

Le printemps arriva. L'été. Puis l'hiver.

J'avais eu mon Certificat du premier coup; manque de pot; j'aurais bien tiré un an de plus, mais ils me reçurent. Je ne pourrais plus aller à l'école.

A l'Orientation, ils me demandèrent ce que je voulais faire dans la vie.

Dans la vie. Est-ce que je savais ce que je voulais faire, dans la vie ?

« Alors ? dit la femme.

— Je ne sais pas.

— Voyons : si tu avais le choix, supposons. »

La femme était gentille, elle interrogeait avec douceur, pas comme une maîtresse. Si j'avais le choix. Je levai les épaules. Je ne savais pas.

« Je ne sais pas.

— Tu ne t'es jamais posé la question ? »

Non. Je ne me l'étais pas posée. Du moins pas en supposant que ça appelait une réponse; de toute façon ça ne valait pas la peine.

On m'a fait enfiler des perles à trois trous dans des aiguilles à trois pointes, reconstituer des trucs complets à partir de morceaux, sortir d'un labyrinthe avec un crayon, trouver des animaux dans des taches, je n'arrivais pas à en voir. On m'a fait faire un dessin. J'ai dessiné un arbre.

« Tu aimes la campagne ? »

Je dis que je ne savais pas, je croyais plutôt que non.

« Tu préfères la ville ? »

A vrai dire je crois que je ne préférais pas la ville non plus. La femme commençait à s'énerver. Elle me proposa tout un tas de métiers aussi assommants les uns que les autres. Je ne pouvais pas choisir. Je ne voyais pas pourquoi il fallait se casser la tête pour choisir d'avance dans quoi on allait se faire suer. Les gens faisaient le boulot qu'ils avaient réussi à se dégotter, et de toute façon tous les métiers consistaient à aller le matin dans un truc et y rester jusqu'au soir. Si j'avais eu une préférence ç'aurait été pour un où on restait moins longtemps, mais il n'y en avait pas.

« Alors dit-elle il n'y a rien qui t'attire particulièrement ? »

J'avais beau réfléchir, rien ne m'attirait.

« Tes tests sont bons pourtant. Tu ne te sens aucune vocation ? »

Vocation. J'ouvris des yeux ronds. J'avais lu dans un de ces bouquins l'histoire d'une fille qui avait eu la vocation d'aller soigner les lépreux. Je ne m'en ressentais pas plus que pour être bobineuse.

« De toute façon dit la mère, ça n'a pas d'importance qu'elle ne veuille rien faire, j'ai plus besoin d'elle à la maison que dehors. Surtout si on est deux de plus... »

On croyait que c'était des jumeaux cette fois.

Tout de suite ce qui me manqua, c'est l'école. Pas tellement la classe en elle-même, mais le chemin pour y aller, et, par-dessus tout, les devoirs du soir. J'aurais peut-être dû dire à l'orienteuse que j'aimais faire des devoirs, il existait peut-être un métier au monde où on fait ses devoirs toute sa vie. Quelque part, je ne sais pas. Quelque part.

Je me sentais inoccupée. Je n'arrêtais pas mais je me sentais tout le temps inoccupée.

Je cherchais ce que j'avais bien pu oublier, où, quand, quoi ?... Je ne sais pas. Au lieu de me dépêcher pour être débarrassée, je traînais : débarrassée, pour quoi ? Le soir, j'étais fatiguée, mes yeux se fermaient, il me semblait ou qu'il n'y avait pas assez de lumière, ou qu'il y en avait trop. Je ne sais pas. Avant, le soir, je commençais à me réveiller, maintenant je tombais. Et une fois au lit, alors impossible de m'endormir. Je versais quelques larmes. C'était devenu une habitude. Je ne savais même pas à quoi penser.

L'hiver passa. Le printemps revint. Le printemps, le printemps...

V

Les Italiens étaient à Sarcelles. Ils construi-
saient de nouvelles maisons. C'est Liliane Bour-
guin qui me le dit. Sa sœur venait de se marier,
ils avaient trouvé un appartement là-bas, il y
en avait. Liliane y était allée. Elle avait entendu
parler des ouvriers. C'était la fable du coin. Ils
habitaient là pour la durée des travaux, dans
des baraquements. Le jour, quand les maris
étaient partis, ils montaient chez les femmes,
qui les appelaient par les fenêtres. En tout cas
c'est ce qu'on disait.

Ça me prit d'un coup. Un retour de mémoire.
Et par de drôles de chemins; c'est ce qui s'était
le plus effacé, qui me revenait. Je ne me souvenais plus que de ça : le bois; ce que Guido
m'avait fait dans le bois. Je ne comprenais pas
comment j'avais bien pu oublier une chose
pareille. Il fallait que je sois tombée sur la tête.
Je me demandais pourquoi j'étais allée chercher
midi à quatorze heures et des histoires de Mar-

tiens et toutes ces salades, quand tout simplement Guido était un homme et ça suffisait
bien, un homme, beau, avec de belles dents,
et pas un « sourire invisible » et dieu sait quoi,
et ce que je voulais c'est qu'il recommence,
ce que je voulais c'était la pure et simple réalité,
on aurait dit que c'était juste pour me cacher
ça que j'avais fait tout ce cirque. Ce qu'on peut
être bête quand on est gosse. Je commençai à
souffrir, et cette fois je savais au juste ce que
je regrettais. Ça n'était plus dans le vague et
la rêverie des beaux crépuscules sur fond de
ciment, et des mélancolies à propos du monde
qui n'est pas drôle, c'était clair comme de l'eau
de roche, à tel point que ça m'en faisait mal au
ventre, d'autant plus que je l'avais sensible
depuis quelque temps, pour cause d'âge.

Toute l'affaire c'était donc comment aller
là-bas, et ce n'était pas du tout commode; c'était
dans une autre banlieue, il aurait fallu prendre
l'autobus jusqu'à la Porte des Lilas, le P C
jusqu'à la Porte Saint-Denis ou Pantin ou La
Villette, ou alors le métro en changeant deux
fois, et là je ne sais plus quoi, ou encore le
métro jusqu'à la gare du Nord et là un train
jusqu'à je ne sais où, d'après Liliane c'était
dans un endroit perdu, bref il y fallait un plein
après-midi aller-retour. J'aurais pu arriver à
gratter le fric pour les tickets, mais le temps?
Je n'avais pas le temps. Je ne voyais pas com-

ment le trouver. Ce n'est pas qu'on m'en demandait compte. Mais la maison reposait pratiquement sur moi et si je la lâchais seulement une heure elle allait sûrement s'écrouler dans le scandale, et une histoire à tout casser.

Encore dans tout ça je ne comptais pas le temps de chercher Guido comme une aiguille dans une meule de foin au milieu de ce truc de cinquante mille habitants. Je savais ce que c'était que des blocs; notre Cité contenait dans les deux mille bonshommes, et le bastringue en face à peu près le double; de là je pouvais me faire une idée de ce que c'était que cinquante mille. Je pouvais glander dedans pendant cent jours et cent nuits en hurlant à la lune non seulement sans apercevoir un Italien mais encore sans retrouver la sortie.

Je ne pensais plus qu'à ça, et je voyais Guido comme si c'était de la veille, avec ses dents blanches, et mon filet à la main plein de bouteilles, et le scooter ce jour-là posé contre un arbre, et la suite dans tous ses détails, je voyais Guido briller comme un lustre au milieu des cinquante mille ballots de là-bas, et moi piquant droit dessus du premier coup et lui disant Me voilà, emmène-moi je t'en prie ! Je me tournais dans son lit sans parvenir au même résultat même en y mettant du mien et ça ne m'avançait à rien. La solution c'était d'y aller.

Ce qu'il m'aurait fallu en réalité c'était un

scooter. Avec un scooter j'y allais d'une traite, je ne perdais pas de temps. D'abord je pensai à en piquer un au parking; il n'y avait qu'à surveiller les heures où ils les laissaient et les reprenaient. Mais avant il fallait apprendre à m'en servir.

Je regardais les garçons caracoler le soir après six heures à la grille, appuyer sur la pédale, faire du bruit, filer, revenir, faire des cercles. Ce machin-là était rudement pratique. Les uns avaient un vrai scooter, les autres une petite moto, rouge, ou bleue, les plus bêtes avec des franges. Moi des franges je m'en serais passée, pourvu que ça roule. Je les voyais se lancer sur l'avenue, à trois ou quatre, des fois avec des filles en croupe. J'en crevais d'envie; des scooters je veux dire; je les dévorais des yeux. Ces idiots-là naturellement croyaient que c'était à eux que j'en avais, ils faisaient des ronds autour de moi pour me faire voir comme ils étaient fortiches. Moi je regardais les roues, et leurs pieds pour voir comment ils les manœuvraient.

« T'as tapé dans l'œil à Didi, m'informa Liliane, qui, ayant un an de plus que moi, était davantage dans le coup.

— Moi, tapé dans l'œil ?

— Fais donc pas l'étonnée ; après tout, t'as une belle petite gueule dans ton genre, comme si tu ne le savais pas. »

Elle, c'était ce qu'on peut appeler une jolie

fille : des cheveux en chutes du Niagara, roux, et elle se mettait du fond de teint, et des ceintures larges.

« Si seulement tu te coiffais. »

Elle m'attrapa les cheveux à poignée et me les rebroussa en star.

« Tu vois. »

Je ne pouvais pas voir, on était dans la cour et il n'y avait pas de glace.

« T'as pas besoin de glace, patate, t'as qu'à regarder les types qui passent. »

Il y en avait un en effet qui se retournait en se marrant. Mais c'était sûrement un père de famille et d'ailleurs il était à pied.

« Je m'en fous, dis-je avec dédain. La seule chose qui m'intéresse c'est les scooters. »

Néanmoins je me coiffai comme avait dit Liliane, de toute façon c'était un progrès, pourquoi cracher sur le progrès. Ça ne me faisait pas du tout souffrir de constater que les types tournaient la tête quand je passais. Pourquoi se priver des petites joies de l'existence sous prétexte qu'on a une grande idée derrière la tête.

C'est comme ça que je me rapprochai des scooters finalement. Et quand je fus tout près, on ne fit pas de difficulté à me laisser monter dessus, en croupe. Je posais des questions, sur comment ça marche. J'eus la réputation de m'intéresser à la mécanique, ce qui, pour une fille, me posait.

Les garçons avaient deux bras deux jambes une tête eux aussi. Ça les rendait acceptables. Dommage qu'ils parlaient. Mais enfin quand le scooter marchait on n'entendait pas. Tout ce que je visais c'est qu'on m'apprenne à conduire. Didi était le mieux disposé, car en effet je lui avais tapé dans l'œil, ainsi que Liliane l'avait remarqué. Tout ce que j'espérais c'est que j'arriverais à conduire avant que les maisons soient finies là-bas. Je n'étais pas assez bête pour ne pas savoir que dans le fond j'y serais arrivée plus vite en me taillant carrément pour une journée par les transports en commun, quitte à me faire engueuler en rentrant, mais je m'étais fourré le scooter dans la tête maintenant et c'était comme ça, l'un n'allait plus sans l'autre; on se fait ses petites cuisines et celle-là m'arrangeait il faut croire, puisque je m'y tenais.

Le soir on allait au cinéma. Du moment que la vaisselle était finie les vieux me laissaient aller au cinéma, ils me donnaient même le fric, pour ça ils étaient gentils, le cinéma est une chose qu'ils comprenaient. Après tout je n'avais plus de devoirs, il fallait bien que je m'occupe, et le cinéma je dois dire me remplaçait assez bien les devoirs. J'y serais allée tous les soirs, et tous les films sans exception me plaisaient; toute l'affaire c'était que ça défile sur l'écran, sans une minute d'arrêt. Au cinéma j'étais toujours assise à côté de Didi, et il me pelotait. Tous les types avaient une fille qu'ils pelotaient. J'étais la plus jeune, et la dernière venue; Didi était un môme, il avait quinze ans, je ne le sentais presque pas.

Guido avait de la barbe; sa figure piquait; c'était autre chose.

Didi ne me gênait pas pour regarder le film; au contraire, ça se mélangeait bien, ça allait ensemble; souvent j'oubliais qui c'était; il passait sa main sous mon pull-over, que je portais directement sur la peau. Liliane mettait des soutien-gorge, car elle avait une grosse poitrine.

« Jo n'a rien en dessous, dit Didier, c'est bien plus chouette.

— On peut voir ? » dit Joël, en manière de plaisanterie.

Didier voulut se montrer large d'idées, il dit : « Je t'en prie. » Liliane, assise de l'autre côté de Joël, pencha la tête, elle n'avait pas très bien suivi la conversation, que d'ailleurs Joël n'avait pas tellement essayé de lui faire suivre. C'était l'entracte. Joël paya des esquimaux à tout le monde. Quand le noir revint, je sentis la main de Joël, à ma gauche, qui passait aussi sous mon pull-over. Les mains des garçons se touchèrent, ils eurent un rire étouffé. Je loupai complètement le générique et les premières images; ce coup-là ça m'avait vraiment fait quelque chose, je commençais à croire que même des garçons on pouvait espérer.

De ce soir-là, Joël me regarda. Il me regardait au pull-over. Joël avait dix-neuf ans ; somme toute c'était un progrès ; peu à peu, doucement, et par des voies assez détournées je dois avouer, j'avançais vers Guido.

« Dimanche on fait une virée, me dit Joël. Si tu veux en être, tu n'as qu'à te trouver à deux heures à la grille. »

C'était toute la bande des grands, cinq six gars, je les avais souvent vus prendre le départ après le déjeuner les dimanches, avec des filles; c'était la première fois qu'ils m'invitaient; je grandissais.

Joël avait profité de ce qu'il était tout seul et moi aussi, pour me demander ça. Mais c'était Didi qui m'emmenait sur son scooter comme d'habitude. A lui j'avais mis comme condition qu'il m'apprendrait à conduire. Je ne perdais pas mon idée de vue.

Ce jour-là, j'appris aussi à danser. Ils s'y mirent tous, chacun son tour; c'était Joël qui me serrait le plus. On buvait du vin.

A un moment où on était dans un coin de la piste, éloignés des autres, Joël m'attrapa par la main et m'entraîna dehors, jusqu'à sa machine. Avant de monter je lui dis :

« Mais on va revenir ?

— T'en fais pas, me dit-il, pour Didi c'est réglé.

— C'est pas pour Didi, c'est que je veux apprendre à conduire le scooter.

— T'apprendras, m'assura Joël, pour ça t'as rien à craindre t'apprendras. »

Tranquillisée, je montai derrière lui.

Je savais ce qu'il voulait. Du moins le début. Dès qu'on fut couchés sous les arbres dans un coin tranquille il releva mon pull-over. C'est ça qu'il voulait depuis une semaine, et c'était en somme entendu. Il regarda mes seins, les caressa et les embrassa, en me faisant un tas de compliments, que ça le changeait de ceux de Liliane qui étaient trop gros. Quand il se mit à ma jupe, j'eus un instant l'espoir qu'il allait faire comme Guido et c'est pour ça que je le laissai m'enlever tout sans opposer la moindre résistance. Mais aussitôt il se coucha sur moi. J'hésitai quelques secondes, je n'avais pas tellement d'opinion et le temps que j'en cherche une il était pratiquement trop tard et puis zut.

« Gueule pas me dit-il, on pourrait t'entendre. »

C'était raisonnable et je me tus. D'ailleurs ça ne faisait pas si mal que ça. Par exemple c'était beaucoup plus vite fait que je n'aurais cru, j'avais à peine eu le temps de penser à ce que je faisais que c'était terminé, il était debout, il rattachait son blue-jeans.

« Allez on repart. »

Je fis bonne figure. Je ne voulais pas avoir

l'air d'une gourde. La moto ne convenait pas très bien. En descendant, Joël me dit :

« T'es une bonne fille. »

Apparemment les autres ne s'étaient même pas aperçus de l'histoire. Le soir, on mangea des hot-dogs et des frites et on but encore du vin; j'appris aussi à tirer à la carabine, et Joël nous paya des fines : c'est lui qui avait le plus de fric. Et je crois qu'il était de bonne humeur. Moi aussi. J'étais en somme heureuse, enfin ça bougeait un peu dans ma vie et c'était bon, on s'amusait. Ça me changeait du reste.

Pour apprendre à conduire le scooter je n'étais pas très en forme par exemple; mais Didi ne pensa plus à me le proposer. A toute vitesse on fonçait tous dans le bois. On prit une allée, on arriva dans une clairière. Ils avaient l'air de bien connaître l'endroit. On arrêta les motos, on éteignit les phares. On descendit. J'étais avec Didi, c'était comme entendu maintenant. Je ne fis pas de difficultés non plus, de toute façon c'était plus la peine. Et c'était bon d'avoir un garçon sur moi, le seul défaut est que ce soit si vite fini. Mais c'est tout de même la vie.

Après Joël revint. Je ne sais pas où était Didi, et du reste je m'en foutais. On entendait les autres, pas loin; il faisait nuit, on était bien. Joël me dit que j'étais rudement chouette en fin de compte. Il resta avec moi. Je rentrai sur sa moto à lui. Je vis que Pascale était sur celle de Didi, il s'était débrouillé en somme. Je me demandais si Liliane n'allait pas me faire la gueule, mais elle était avec Bob et ils s'embrassaient à plein corps. Tout le monde avait l'air très content, je vois pas pourquoi je l'aurais pas été. C'était une bonne journée. Je n'avais pas appris à conduire mais je n'étais pas inquiète pour ça : j'apprendrais d'ici peu c'est sûr.

J'étais la première à la maison. Les parents étaient à la campagne avec les mouflets, chez la tante. Patrick arriva un peu après moi. J'étais en train de prendre un bain; Liliane m'avait expliqué à ce sujet, sans savoir que ça me servirait si vite; ou bien peut-être qu'elle le savait. J'entendis Patrick remuer sa ferraille et se coucher. J'étais au lit quand le reste rentra, ils avaient piétiné une heure et demie sur l'autoroute, mais je ne dormais pas. J'avais un peu la fièvre, et ça me brûlait. Je ne pouvais pas m'endormir.

Quand Chantal partit à ronfler, Nicolas se leva et vint près de mon lit.

« Tu ne vas pas bien ?

— Mais si...

— Je t'entends bouger, tu respires fort.

— Mais non, ça va bien. J'ai bu un peu de vin.

— Où tu as été ?

— On a été danser au bord de la Marne.

— Tu as été avec les garçons ? » demanda-t-il.

Je ne sais pas s'il voulait dire ce que je voulais dire quand je disais ça. En tout cas qu'est-ce que je pouvais répondre ?

« Oui. »

Il secoua la tête.

« Je suis trop petit, dit-il. Si j'étais grand, tu n'irais pas avec les garçons », et il retourna à son lit sans m'embrasser.

*

Au fond le grand truc ce n'est pas tant ce que ça fait pendant, c'est que ça laisse l'envie de recommencer. J'avais quelque chose à penser, au lieu de rien. Le jour je pensais au soir, et la semaine au dimanche. Ça meuble la vie.

« Alors Josyane, tu rêves ? » disait la mère quand je faisais un truc de travers, ce qui arrivait souvent.

Et comment que je rêvais. Si elle avait su à quoi. En ce moment je m'occupais d'instruire Didi, le plus susceptible de se laisser faire pour ce que je cherchais, et qui était bien précis. J'éprouvais je l'avoue une sensation spéciale à marcher dans les petites allées à la recherche d'un coin bien noir, ma culotte mise d'avance dans mon sac, pensant au moment où j'aurais le garçon là à genoux devant moi, dans l'ombre; oh ! il ne valait pas Guido, Guido faisait ça

de lui-même, par goût, on sentait bien qu'il
aimait ça, et celui-ci c'était seulement parce
que je le forçais, que j'en faisais une condition;
mais je m'en tirais; et ce qu'il y avait d'extraordinaire c'était d'être là debout dans l'ombre,
la tête libre, le dos bien calé au mur, regardant
le ciel, ne voyant que les étoiles quand il y en
avait, seule en somme, et là-bas très loin tout
en bas le garçon de plus en plus oublié à mesure
que le plaisir vient et monte comme si c'était
directement de la terre. Ça, ça me transportait.
Après je le laissais faire l'amour en vitesse.
C'était ça qu'il voulait, lui; ces trois petites
minutes à se soulager. Ils sont bizarres.

« Alors Josyane qu'est-ce que tu fous !
regarde tous ces faux-plis que tu m'as faits !

— T'as qu'à le faire toi-même si tu trouves
que c'est pas assez bien », et je plantais tout.
Il n'était plus question qu'elle me foute des
baffes, pas plus qu'à Patrick d'ailleurs, il l'avait
avertie : « Celle-là c'est la dernière je te préviens, la prochaine je la rends et t'auras pas le
dessus je te préviens. » Elle se l'était tenu pour
dit, et n'essayait plus. Qu'est-ce qu'elle y pouvait ? On était trop grands. Et on était le
nombre : six contre un, encore sans compter
Martine qui en était à se traîner et le petit
Pascal qui n'avait pas été des jumeaux mais un
seul bébé et n'avait pas encore de dents mais
finirait bien par grandir un jour lui aussi, et

à devenir une menace. Le père également inter-
venait de moins en moins dans la bagarre, étant
fatigué le soir en rentrant après une dure journée de travail, mais en réalité c'était une façon
de se défiler on le savait bien. Ils étaient
dépassés par leurs œufs, aussi on n'a pas idée
d'en faire tant, le résultat vous pend au nez. Ils
ne pensent pas assez à l'avenir. A partir d'un
certain âge des enfants, les parents devraient
demander un port d'armes, et fonder une
milice. Tout le monde en était là dans la Cité,
faute d'avoir pris les dispositions à temps, et
pourquoi on se serait gênés? comme disait
Nicolas, qui à présent n'était pas le moins
dangereux loin de là et en plus des autres
avait des idées, comme de mettre de l'encre dans
le pinard du vieux, comme disait Nicolas fallait
pas nous faire, ou alors fallait nous dire pourquoi.

Donc personne ne demandait d'explications
à Patrick sur ses sorties, jusqu'au jour où les
flics, qui, eux, sont organisés pour, et outillés,
s'en occuperaient eux-mêmes directement; en
attendant, dans cette période intermédiaire, les
vieux avaient le sentiment que ce n'était plus
leur affaire, et ils avaient raison; quant à moi
je faisais ce que je voulais sans que personne
s'en soucie, comme les copines, sauf Ethel, qui
était tenue; mais la famille Lefranc était d'une
autre espèce que les nôtres, il y en avait six ou

sept comme ça c'était connu dans la Cité. Le
père Lefranc faisait le porte à porte avec ses
pétitions à la main, sans se décourager, et
d'ailleurs presque tout le monde signait régu-
lièrement de quoi se serait-il plaint. « T'es pour
la Paix bien sûr », disait-il, et bien sûr on était
pour la paix, comment on aurait été contre ?
et le père signait la pétition, et il descendait
laver la bagnole, et Lefranc frappait à la porte
en face. « Ces gens-là c'est un peu comme les
curés », disait le père, un peu apitoyé. On
pouvait voir tous les dimanches matin Frédéric,
le fils aîné, vendre *L'Huma-Dimanche* sur la
place du marché, avec trois quatre copains, en
criant très fort au milieu des bonnes femmes
qui passaient sans faire attention à eux. Je
discutais quelquefois avec Ethel; je l'enviais,
parce qu'elle allait encore à l'école, une école
à Paris; elle travaillait pour être institutrice;
elle aimait ça; elle me dit que c'était dur, il y
avait des devoirs énormes, elle en avait parfois
jusqu'après minuit; mon rêve; mais chez elle
c'était la mère qui s'occupait elle-même des
gosses, d'ailleurs ils n'en avaient que quatre, et
depuis qu'Ethel étudiait on lui foutait complètement la paix avec le ménage, elle n'aurait pas
pu. J'aurais bien voulu être à sa place; mais
être institutrice ne m'aurait pas plu, à cause
des gosses; j'aime pas les gosses. On discuta là-
dessus, elle trouvait que j'avais tort, justement

les gosses il fallait les former et ils devenaient
épatants; les gosses ici ne sont pas formés pour
la plupart, on les laisse courir et on ne s'occupe
pas de les éduquer, je lui dis comment le pourraient-ils ils ne le sont pas eux-mêmes ils savent
rien et ils s'en foutent; là-dessus elle était
d'accord. Elle me dit Pourquoi tu ne viens pas
avec nous le dimanche, au lieu de traîner avec
ces types ? Elle avait quelque chose d'un peu
méprisant en disant ça, qui me refroidit : de
quoi elle se mêlait ? Sur ce terrain on ne se
comprenait pas; elle essayait de me faire de la
morale, mais ça ne pouvait pas prendre : Ethel
était plus intelligente que moi sur des tas de
points, mais la vérité c'est que sur celui-là j'en
savais plus long qu'elle, et qu'à côté de moi,
toute savante qu'elle était, elle n'était qu'une
môme.

D'ailleurs c'était visible rien qu'à sa façon
de se tenir et de marcher, sagement, sans regarder autour, toujours en train de réfléchir en
elle-même; j'étais comme ça avant; maintenant
je tenais le beau milieu des allées, et je regardais
les gens en pleine figure. J'avais le diable dans
la peau en ce moment; j'aurais tout bouffé,
même des pères de famille. Mais sauf exception
ils se contentaient de me jeter des petits regards
furtifs et passaient leur chemin en direction
de bobonne et du fricot et des mômes qui
braillent, ce qui me faisait bien marrer car je

savais ce qu'ils pensaient, je commençais à connaître les hommes. Ils étaient juste trop lâches
pour faire ce qu'ils avaient envie.

Je dis sauf exception, parce qu'il y eut une
exception, René. Il avait l'œil plus vif que les
autres, et plus insistant, toute la question est là,
au lieu de fuir, il accrochait, si bien qu'au bout
d'un temps il en crevait d'envie c'était visible,
et je ne fus pas étonnée quand il m'aborda. Il
commença par me dire d'un ton sévère, ou enfin
faisant comme si, pour tâter le terrain, qu'il ne
faut pas regarder les hommes comme ça. Ou
alors il arrive des accidents, menaça-t-il, voyant
que je n'avais pas l'air de m'excuser : je rigo-
lais. Et si des fois je ne savais pas ce qu'il voulait
dire par là ajouta-t-il avec l'œil de plus en plus
allumé il était prêt à me montrer, et tout en
parlant il regardait tout autour comme s'il
cherchait un endroit pour et là je partis fran-
chement à rire parce que ça chercher un coin
discret ici alors ça, c'était du délire, dedans
comme dehors on est nu comme un ver et dans
le champ de vision de quelqu'un qu'on ne voit
pas, surtout qu'en plus ils ont des jumelles pour
la plupart. Bref un samedi après-midi il raconta
à sa femme qu'il allait au Bazar acheter des
outils et on se retrouva marchant dans les
fourrés de Vincennes à la recherche du fameux
coin tranquille à l'abri des regards indiscrets,
qu'il avait l'air de particulièrement craindre,

car j'étais mineure. De nous deux c'est lui qui avait le plus les jetons, mais il avait encore plus envie que peur, et me serrait derrière, m'attrapant de temps en temps et me pressant contre lui pour me faire voir où il en était rendu.

« C'est que t'es vachement bandante, disait-il. Tu me rends fou tu sais. Tiens regarde. »

Ça n'était pas une blague. Enfin on trouva un coin, avec de la belle herbe. Moi j'aime l'herbe. Il avait de grandes mains larges qui prenaient tout à la fois.

« Et c'est frais ! Frais comme un bouton de rose. Ah ! tiens. Tu l'as voulu. »

Je crus qu'il allait m'écraser. Je ne pouvais plus bouger, j'étais clouée, il était installé de tout son poids et arrimé à fond.

« Quand je pense que j'ai une fille de ton âge, quand je pense que j'ai une fille de ton âge, répétait-il, quand je pense que j'ai une fille de ton âge », et il n'y mettait pas moins de cœur.

Je dois dire que j'en eus bien du plaisir, plus qu'avec les garçons. Peut-être parce qu'il était plus lourd. Ou que j'étais fière d'avoir un vrai homme. Pas de doute les garçons c'est encore très frêle, très léger. Un homme fait plus d'effet. J'en restais tout amollie.

« Quand je pense que j'ai une fille de ton âge », me redit-il, après, une fois rhabillés prêts à rentrer; mais pas sur le même ton que tout à

l'heure, il me regardait en hochant tristement
la tête.

« C'est malheureux... », ajouta même-t-il.

Merde alors !

On rejoignit la route. J'aurais bien recom-
mencé. Ça devait être l'inconvénient des hommes, par rapport aux garçons, ils ne recommen-
cent pas aussitôt. Il était pressé de rentrer, à
cause de sa femme et du Bazar.

« Tu m'as rendu fou, soupira-t-il, à l'arrêt
du bus. C'était un moment de folie. Un merveilleux moment, précisa-t-il. Merveilleux. De
folie. Mais quand je pense qu'à ton âge déjà, tu
vois ça me bouleverse dans le fond. Je ne sais
pas quoi penser.

— Pense pas, je lui dis.

— Si, justement... »

Il voulait penser. Tout à l'heure dans les
fourrés il n'y pensait pas, à penser.

« Dans le fond c'est terrible. Je m'en veux.
J'aurais pas dû. J'aurais dû prendre sur moi,
puisque toi... mais tu m'as rendu fou. Tu ne
devrais pas regarder les hommes comme tu fais,
qu'est-ce que tu veux c'est ta faute, aussi ! Ils
sont faibles les hommes, ils ne peuvent pas
résister quand une fille les regarde comme tu
fais... »

On monta dans le bus qui nous ramena Porte
de Vincennes, là on prit le 115, je descendrais
devant la maison, lui continuerait, il voulait

essayer d'arriver au Bazar avant la fermeture, de façon à ramener à sa femme n'importe quoi enveloppé dans le papier du magasin.

« Faut que tu me pardonnes. Faut qu'on oublie ça. Hein ? Promets-moi. Promets-moi que tu ne regarderas plus les hommes comme ça. Promets-moi de ne plus faire des choses pareilles. Tu ne sais pas sur qui tu peux tomber. Il y a des salauds. Ils ne sont pas tous comme moi tu sais... Un moment de folie et c'est toute une vie gâchée... Quand je pense que tu as l'âge de ma fille, ça me fait froid dans le dos. »

Avant ça lui faisait plutôt chaud.

J'éprouvais pas le besoin de discuter. J'étais légèrement engourdie. On était de plus en plus entassés sur la plate-forme à mesure que les gens montaient.

« Mignonne comme t'es, ce serait trop dommage... »

Je le regardai avec un grand sourire. Les cahots du bus nous jetaient l'un contre l'autre, je laissais aller, et je sentais qu'il commençait à récupérer. Il leur faut le temps.

« Penser que tu vas aller faire ça avec n'importe lequel... ça me rend enragé... un beau petit corps comme ça. »

Profitant d'un cahot, il me retint. Quand on arriva à mon arrêt il ne lui restait plus beaucoup de morale, il ne disait plus un mot. Je demandai :

« Ta fille c'est Juliette Halloin ? »

J'eus le temps de voir sa gueule se figer. Il murmura quelque chose comme je descendais, du genre « tu ne vas pas... » J'étais partie. Du trottoir, je le regardai, sur sa plate-forms. Il était vert de peur.

Ils sont formidables.

Du reste il ne s'était pas passé trois jours qu'il me refaisait de l'œil; moi je filais. A la fin il me demanda si j'étais fâchée et si je lui en voulais.

« On était pas bien là-bas ?...

— Je ne me plains pas.

— Alors ?... »

Quand est-ce qu'on y retourne ? ne dit-il pas. Ça lui avait repris. Ce qu'il leur faut c'est simplement un petit temps de repos. Je lui dis :

« J'ai suivi tes conseils j'ai acheté une conduite.

— Non ? dit-il, ne sachant comment le prendre, si me féliciter ou quoi.

— Oui, je ne couche plus avec les pères de famille. »

C'est bon un homme mais il y a des limites.

Il était furieux. Il partit les dents serrées, et le reste en bandoulière. Ils sont formidables.

J'étais contente de moi; il y a des plaisirs supérieurs à ceux de la chair.

Mais ce qui me faisait encore plus marrer c'est les bonnes femmes; là je m'en payais; depuis que je me baladais dans une jupe de Prisunic en Vichy formidable que j'avais réussi à me faire payer, et que j'avais raccourcie au dernier degré de la mode, elles me faisaient une sale bobine; je n'étais plus une bonne petite maman; Dieu sait ce que j'étais; j'avais entendu une dire à l'autre : « Cette façon qu'elle a de marcher. » « Ça promet », répondit l'autre, sans doute pas suffisamment informée; tout ça assez fort pour que j'entende, afin de me faire honte. Je ne sais pas quelle façon j'avais de marcher, en tout cas j'aurais pas voulu de la leur, on aurait dit qu'elles avaient du plomb dans le cul, toute leur connerie devait être descendue là. Bon Dieu ce que j'aimais pas les bonnes femmes ! comment une chose pareille peut-elle arriver à exister ? Pourquoi c'est pas dans les zoo ? Toute la journée ça geint ça se traîne, ça peut pas faire trois mètres sans se planter, c'est agglutiné devant le petit commerce comme des paquets de moules je suis polie, se racontant ses malheurs, quels malheurs? et le soir ça pleurniche que c'est claqué, et qu'est-ce que ça a donc tant produit je vous le demande à part de la mauvaise cuisine ? Ça oblige de pauvres types, qui d'ailleurs ne méritent pas mieux, à s'échiner pour leur acheter des appareils coûteux et à crédit pour leur épargner du « travail », disent-elles, que d'ailleurs ça a toujours fait faire pratiquement par les mômes, et c'est toujours aussi fatigué, à croire que la fatigue c'est leur seule véritable profession. Je connais rien de plus inutile sur la terre que les bonnes femmes. Si. Ça pond.

C'est un drôle de mystère la vie quand on y regarde.

Bref en tout cas depuis René quand je les voyais je me régalais; d'une façon je les avais bel et bien faites cocues, toutes, en allant en pêcher un dans leur génération et en lui faisant apprécier la différence. Le père René quand il s'était retrouvé au page avec sa bourgeoise le fameux samedi soir après le Bazar et le bain de fraîcheur il avait dû l'avoir dans l'os. Je ne sais pas laquelle c'est mais c'est le même arrivage, et quand elles me regardaient comme si elles me déshabillaient je les regardais de même, et c'était pas moi qui baissais les yeux la première. René m'avait au moins rapporté ça, puisque d'autre part il avait réussi à gâcher un gentil souvenir en ne fermant pas sa gueule après. Bah ! Les jours passent. La peau est neuve tous les matins. Les garçons sont légers et lisses, et Dieu merci avec eux pour parler c'est plutôt :

« Neuf heures ?

— Vu. »

C'est même comme ça, avec ce manque parfois excessif de conversation, que je me trouvai un soir la seule fille au rendez-vous, contre quatre gars. Les autres filles avaient eu des empêchements, paraît-il, chacune de son côté. On ne fait pas toujours ce qu'on veut quand on vit en famille.

Là non plus on ne parla guère, à vrai dire on ne se dit pas un mot, on partit tout de même. C'était une belle nuit, de juin. Chaude. Je ne la regretterai jamais.

Maintenant tout le monde me prêtait sa moto. Même seule, même pour la journée entière. Finalement j'y étais arrivée, et même mieux que je n'espérais.

VI

Sauf que Guido maintenant, est-ce que je le reconnaîtrais ? Il avait passé tellement d'eau sous le pont depuis. Tellement. Guido, Guido, j'appelais son nom pour voir si ça répondait. Je me souvenais de tout bien sûr, ses dents, sa main quand il me tenait; le bois : le scooter posé contre l'arbre; le scooter posé contre l'arbre ça m'avait marquée par exemple, un scooter posé contre un arbre et j'avais envie de me coucher, automatique. Un chimpanzé aurait pu m'avoir avec le coup du scooter contre l'arbre. Et quand il avait parlé en italien. Ah ça, ça m'était resté. Pas les mots bien sûr, je n'aurais pas pu en répéter un seul, sauf « morire », et justement ce n'était pas à ce moment-là, pas les mots mais le son, cette espèce de torrent qui coulait de sa bouche, de sa bouche et qui finalement disait mieux ce que ça voulait dire qu'une belle phrase en clair. Cette musique, ce qu'il disait lui Guido sans que j'y comprenne rien, c'était la vie tout entière, et ça ne se résume pas. Le reste, la sensation... j'entendais encore chanter les oiseaux, pendant. Des sensations j'en avais eu d'autres, le corps n'a pas beaucoup de mémoire en définitive. On change de peau.

J'étais sur la machine. Etre sur la machine, ça c'était quelque chose, là pas de doute, je fonçais je ralentissais je virais, j'étais seule j'étais libre, c'était un vrai plaisir; rien que pour être sur la machine ça valait la peine, même si je ne trouvais pas Guido.

Si je le trouvais je lui dirais Monte ! et c'est moi qui l'enlèverais. C'est ça le grand truc des motos au fond, comme les chevaliers et les cow-boys, une femme en croupe, ou bien jetée sur le garrot en travers; même une fille là-dessus, ça se sent un homme, alors un homme qu'est-ce que ça doit pas se sentir, même une lavette doit s'imaginer qu'il en a, ça expliquait beaucoup de choses. Qu'est-ce que je fonçais. J'aurais enlevé n'importe quoi, un champion de boxe.

On arrive à Sarcelles par un pont, et tout à coup, un peu d'en haut, on voit tout. Oh là ! Et je croyais que j'habitais dans des blocs ! Ça, oui, c'étaient des blocs ! Ça c'était de la Cité, de la vraie Cité de l'Avenir ! Sur des kilomètres et des kilomètres et des kilomètres, des maisons des maisons des maisons. Pareilles. Ali-

gnées. Blanches. Encore des maisons. Maisons
maisons maisons maisons maisons maisons mai-
sons, maisons maisons maisons. Maisons. Maisons. Et du ciel; une immensité. Du soleil. Du
soleil plein les maisons, passant à travers, res-
sortant de l'autre côté. Des Espaces Verts énormes, propres, superbes, des tapis, avec sur
chacun l'écriteau Respectez et Faites respecter
les Pelouses et les Arbres, qui d'ailleurs ici
avait l'air de faire plus d'effet que chez nous,
les gens eux-mêmes étant sans doute en progrès
comme l'architecture.

Les boutiques étaient toutes mises ensemble,
au milieu de chaque rectangle de maisons, de
façon que chaque bonne femme ait le même
nombre de pas à faire pour aller prendre ses
nouilles; il y avait même de la justice. Un peu
à part étaient posés des beaux chalets entièrement vitrés, on voyait tout l'intérieur en passant. L'un était une bibliothèque, avec des
tables et des chaises modernes de toute beauté;
on s'asseyait là et tout le monde pouvait vous
voir en train de lire; un autre en bois imitant
la campagne était marqué : « Maison des
Jeunes et de la Culture »; les Jeunes étaient
dedans, garçons et filles, on pouvait les voir rire
et s'amuser, au grand jour.

Ici, on ne pouvait pas faire le mal; un gosse
qui aurait fait l'école buissonnière, on l'aurait
repéré immédiatement, seul dehors de cet âge

à la mauvaise heure; un voleur se serait vu à des kilomètres, avec son butin; un type sale, tout le monde l'aurait envoyé se laver. Et pour s'offrir une môme, je ne voyais pas d'autre moyen que de passer avant à la mairie, qui, j'espère pour eux, était prévue tout près aussi. Ça c'est de l'architecture. Et ce que c'était beau ! J'avais jamais vu autant de vitres. J'en avais des éblouissements, et en plus le tournis, à force de prendre la première à droite, la première à gauche, la première à droite, la première à gauche; j'étais dans la rue Paul-Valéry, j'avais pris la rue Mallarmé, j'avais tourné dans Victor-Hugo, enfilé Paul-Claudel, et je me retombais dans Valéry et j'arrivais pas à en sortir. Où étaient les baraques, où étaient les ouvriers, où était Guido ? Même en supposant qu'il soit en ce moment en train de me chercher de son côté Guido, on pouvait se promener cent ans sans jamais se croiser, à moins d'avoir pris une boussole et un compas de marine. Mais ici ils n'avaient que des jumelles, j'en vis deux, on voyait l'intérieur des maisons, qui s'observaient d'un bloc à l'autre en train de s'observer à la jumelle. Ça c'est une distraction, et puis ça fait penser.

Encore Verlaine, je l'avais déjà vu celui-là, je me dis que je ferais mieux de foncer droit et j'aboutis sur un grillage. La limite. Il y avait une limite. Je refonçai dans l'autre sens, le

chemin devint bourbeux, sale, j'étais dans les
chantiers. On ajoutait des maisons, une ou
deux douzaines. Là on voyait la carcasse, les
grands piliers de béton. Ce qui serait bientôt
les belles constructions blanches. « C'est toi
Guido qui fais ces maisons, toi qui es né sur
les collines... » Il y eut une bouffée d'air par-
fumé, chaud. « Ragazza, ragazza. » Toi Guido,
Gouiido.

« Guido comment ?

— Je ne sais pas.

— Gouiido ! Gouiido !

— Eh petite, ragazza, qu'est-ce qu'il t'a fait
ce Guido-là que les autres ne peuvent pas faire ?

— Eh piccoline, tu ne veux pas que je sois
ton Guido ?

— Si tu attends la fin de journée, je m'ap-
pellerai Guido toute la nuit ! »

J'étais là en plein soleil devant tous ces
hommes, avec mon noir aux yeux, et j'en avais
mis justement un paquet, et ma jupe en Vichy
ma seule bien, et j'avais encore grandi depuis,
on me voyait les cuisses, le soleil me perçait,
la lumière m'arrosait à flots, les types riaient,
Italiens Arabes Espagnols, et le chef de chan-
tier, Français lui, me regardait d'un sale œil,
j'avais l'air de faire le tapin je faisais tache. Les
garçons joyeux riaient d'un rire sain derrière
leur vitrine là-bas avec les jeunes filles au visage
lisse; ils m'auraient envoyée me débarbouiller.

Il faisait trop clair, trop clair. J'étais nue comme un ver. Je cherchais de l'ombre, un coin, un coin noir, un coin où me cacher, j'avais la panique, une panique folle, je ne retrouvais plus le scooter, je ne savais plus où je l'avais laissé. Paul Valéry. Désordre et ténèbres. J'aurais voulu une cabane à outils, un débarras, un placard à balais, une niche à chien; une caverne. Désordre et ténèbres, désordre et ténèbres, désordre et ténèbres. Je retrouvai le scooter, près d'une pelouse. Respectez et Faites Respecter.

C'était beau. Vert, blanc. Ordonné. On sentait l'organisation. Ils avaient tout fait pour qu'on soit bien, ils s'étaient demandé : qu'est-ce qu'il faut mettre pour qu'ils soient bien ? et ils l'avaient mis. Ils avaient même mis de la diversité : quatre grandes tours, pour varier le paysage; ils avaient fait des petites collines, des accidents de terrain, pour que ce ne soit pas monotone; il n'y avait pas deux chalets pareils; ils avaient pensé à tout, pour ainsi dire on voyait leurs pensées, là, posées, avec la bonne volonté, le désir de bien faire, les efforts, le soin, l'application, l'intelligence, jusque dans les plus petits détails. Ils devaient être rudement fiers ceux qui avaient fait ça.

Le matin, tous les hommes sortaient des maisons et s'en allaient à Paris travailler; un peu plus tard c'étaient les enfants qui se transféraient dans l'école, les maisons se vidaient comme des lapins; il ne restait dans la Cité que les femmes les vieillards et les invalides, et alors, toujours d'après Liliane, les ouvriers des chantiers montaient chez les femmes; si c'est vrai, ça ne devait pas passer inaperçu, mais en tout cas, qu'est-ce qu'elles feraient quand les ouvriers ne seraient plus là ? Le soir, tous les maris revenaient, rentraient dans les maisons, trouvaient les tables mises, propres, avec de belles assiettes, l'appartement bien briqué, la douce chaleur, et voilà une bonne soirée qui partait, mon Dieu, mon Dieu, c'était la perfection, Dieu est un pur esprit infiniment parfait je comprenais enfin.

Sur le pont en partant, je m'arrêtai encore, je me retournai vers la Ville; il ne faut pas se retourner quand on quitte une ville, on est changé en statue de sel; ça doit être vrai, je ne pouvais pas me décider, je ne me fatiguais pas de regarder. Les fenêtres commençaient à s'éclairer. Que ça pouvait être beau ! je ne me fatiguais pas. Sarcelles c'était Dieu, ici on pouvait commencer à croire qu'il avait créé le monde, car s'il faut un ouvrier pour construire une maison, Amen.

En rentrant, notre Cité me parut pauvre, en retard sur son temps; une vraie antiquité. On était déjà hier nous autres, ça va vite, vite. Même les blocs en face, les « grands », n'avaient l'air de rien. Douze misérables baraques sur un petit terrain. Je n'irais sûrement plus y pleurer.

Je me sentais à l'étroit, pour un peu j'aurais manqué d'air. Si on veut rester content il ne faut pas voir le monde.

Je rencontrai Ethel. J'essayai de lui expliquer. C'est comme Dieu. Voyons, pourquoi aller chercher Dieu, les hommes ça suffit pour construire. Oh ! non c'est pire ! Ethel riait. Je ne comprends pas ce qui te rend triste : si c'est beau comme tu dis. Oui c'est beau. Alors ? Qu'est-ce que tu veux ?

Désordre et ténèbres.

Tu veux que les gens soient sales ? Tu veux qu'ils aient des poux ? La tuberculose ?

Je ne sais pas ce que je veux.

Si dans ce temps-là on avait regardé dans mon cœur on aurait trouvé un sentiment caché : pour Frédéric Lefranc. Il n'était pas comme les autres. Il était plus sérieux, plus réfléchi. Mais justement à cause de cela il ne se mêlait pas à nous. Il avait autre chose à faire dans la vie. C'était ce qui m'attirait, ce « autre chose » : quelle chance il avait ce Frédéric ! et comment faisait-il ? Mais en même temps que ça m'attirait ça le mettait à des kilomètres de moi, qui n'avais rien. Auprès de lui j'étais muette; ce que j'aurais pu dire, n'aurait été pour lui que des sottises. C'est avec Ethel que je parlais, c'était plus facile, on avait fait nos classes ensemble, même on s'était quel-

quefois trouvées en rivalité; dans ce temps-là
ça nous rendait ennemies; maintenant, ça nous
rapprochait. Je crois qu'Ethel regrettait pour
moi que je n'aie pas continué; c'était comme
quelqu'un qu'on est obligé de laisser sur la
route parce qu'il est trop faible, et on ne peut
rien pour lui; on se retourne, on a honte de sa
propre force. Ethel était la seule personne au
monde avec qui je pouvais parler d'analyse
grammaticale; elle aurait voulu m'aider, me
prêter des livres, mais ça aurait servi à quoi?
De toute façon je n'y avais plus la tête, j'étais
hors de coup maintenant. Elle me dit que dans
un pays socialiste on m'aurait fait poursuivre
mes études, même si ma famille était encore
plus pauvre; dans un pays socialiste, chacun
faisait ce pour quoi il était fait; je lui dis qu'à
l'Orientation on avait cherché quoi me faire
faire, mais on n'avait rien trouvé; elle me dit
que c'est parce qu'on ne m'avait proposé que
des métiers en rapport avec la condition de mes
parents, qui exigeait que je gagne tout de suite
ma vie; dans un pays socialiste on n'aurait pas
tenu compte de ça, mais seulement de mes
goûts et de mes capacités. Je lui dis qu'alors
c'était comme sur Mars, et je partis à lui raconter que quand j'étais gosse j'avais inventé
une planète Mars où tout le monde se comprenait sans même parler rien qu'en se regardant, et
où les arbres ne perdaient jamais leurs feuilles, et

où... Elle me dit que c'était de l'Evasion, qu'il
ne fallait pas faire de l'Evasion, que ma planète
Mars c'était ici qu'il fallait la faire. Toujours
son petit côté sérieux vous tombait dessus au
moment où on commençait à folailler, pour la
rigolade elle n'était bonne à rien. Gentiment,
elle essayait d'expliquer. Mais moi je n'étais
pas aussi intelligente qu'elle, je n'étais pas allée
assez à l'école, ce n'était pas ma faute. Il venait
un moment où je lâchais. Et de toute façon,
chaque fois que je me mettais à penser à des
choses sérieuses ça me rendait triste. Comme
elle me demandait pour la vingtième fois :
« Mais au fond, qu'est-ce que tu veux ! » je me
mis à pleurer. Elle m'emmena dîner chez eux,
pour me remonter; je ne me le fis pas dire
deux fois, rien que l'idée de voir Frédéric et
j'étais redevenue gaie comme un pinson. Jeannot fit une crème. Ce qui me frappa chez les
Lefranc, c'est que les deux garçons, les plus
jeunes, Jean et Marc, s'occupaient de la cuisine,
ils firent la vaisselle, et ils avaient l'air de
trouver ça naturel par-dessus le marché. Je dis
que chez nous ça ne se passait pas comme ça,
on n'avait même pas idée de leur demander.
« Mais pourquoi ça ? Ils ont bien deux mains ? »
dit Mme Lefranc. Je me dis que je ferais bien
d'importer la méthode chez nous, s'il n'était pas
trop tard; je me souvenais d'une fois où la mère
avait essayé d'embaucher Patrick, exceptionnel-

lement, et avec des gants encore, aucune fille n'était disponible, et comment il l'avait envoyé chier dans des termes que j'oserais pas répéter, et pour finir concluant : « Papa dit que c'est pas mon travail » — qu'est-ce qui était son travail on se le demande d'ailleurs. En tout cas la mère fit preuve de faiblesse, et le père confirma le principe.

« Dix mille logements, tous avec l'eau chaude et une salle de bain ! c'est quelque chose ! » disait Ethel.

Ils discutaient de Sarcelles, j'avais raconté mon voyage.

« Oui, dit M. Lefranc.

— Oui, dit après lui Frédéric.

— Vous n'avez pas l'air enthousiastes. dit Ethel.

— Si, dit le père.

— Si si, dit le fils. C'est très bien, quoi.

— Bien sûr que c'est très bien ! dit Ethel. Il y a encore des gens qui sont entassés à six dans une chambre d'hôtel avec un réchaud à alcool pour faire la cuisine, j'en connais.

— Même toi tu as vécu comme ça, lui dit son père. Tu ne peux pas te rappeler, tu avais six mois quand on a bougé.

— Ce biberon, quelle histoire ! dit la mère.

— Moi je m'en souviens, dit Frédéric. Ça donnait sur une cour dégueulasse, qui puait.

— Nous on a d'abord habité dans le XIIIe,

dis-je. Il y avait des rats. Je me souviens que j'avais peur.

— Moi je suis née dans un sous-sol, dit Mme Lefranc, je crois bien que je n'ai pas vu le soleil avant l'âge de raison. Ma mère a eu quatorze enfants, il lui en reste quatre. Dans ce temps-là nourrir sa famille c'était un drôle de problème pour un homme, il fallait se battre... Je me souviens comme mon père était en fureur, dit-elle, avec un sourire. Et les grèves... le chômage... les bagarres...

— Eh bien? dit Ethel. Les gens sont tout de même plus heureux maintenant, non?

— Oui, dit Frédéric, ils sont plus heureux...

— Je demande un pouce, dit Jeannot : comment est ma crème? Vous allez la bouffer sans vous en apercevoir. »

C'était vrai et ç'aurait été dommage. Sa crème était formidable.

« Surtout pour un garçon, dis-je.

— Maintenant vous pouvez continuer, dit Jeannot.

— Mais? dit Ethel à son frère.

— Je n'ai pas dit mais.

— Tu ne l'as pas dit mais je l'ai entendu, dit Ethel.

— Bon, dit Frédéric. Mais.

— Les gens ne sont pas plus heureux? insista sa sœur. Ethel ne lâchait jamais prise.

— Si, dit Frédéric, rogue.

— C'est passionnant votre discussion, dit Marc.

— Je comprends que c'est passionnant, dit le père. Vas-y.

— Vas-y frérot, dit Marc. Ksss.

— Si le bonheur consiste à accumuler des appareils ménagers et à se foutre pas mal du reste, ils sont heureux, oui ! éclata Frédéric. Et pendant ce temps-là les fabricants filent leur camelote à grands coups de publicité et de crédit, et tout va pour le mieux dans le meilleur des mondes...

— Capitalistes, dit le père.

— Le confort c'est pas le bonheur ! dit Frédéric, lancé.

— Qu'est-ce que c'est le bonheur ? dit Ethel.

— Je sais pas, grogna Frédéric.

— Mais dis-moi, qu'on arrive à se poser ce genre de question au lieu de comment bouffer, ça ne prouve pas qu'on a tout de même un peu avancé ? dit M. Lefranc.

— Peut-être, dit Frédéric. Peut-être bien, dans le fond.

— Pour découvrir que le confort ne fait pas le bonheur, il faut y avoir goûté, non ? C'est une question de temps... Quand tout le monde l'aura, on finira bien par se poser la question. Ce qu'il faut c'est regarder un peu loin. Moi je ne verrai sans doute pas ça, mais vous, vous le verrez.

— Au fond, le bonheur c'est vivre dans l'avenir... »

En disant ça il me fit un beau sourire. Et sans doute qu'il y vivait lui dans l'avenir, car si gentil qu'il fût il ne paraissait pas remarquer les yeux que je lui faisais, ni mon chemisier ouvert jusqu'à l'avant-dernier bouton, ce que les autres garçons voyaient en premier lieu, et même en général, voilà le revers de la médaille, ils ne voyaient que ça. Sans doute que quand tout le monde serait heureux sur la terre il commencerait à s'intéresser à ces choses-là; vivre dans l'avenir ça devait être de famille en tout cas, Ethel non plus n'allait pas avec les garçons.

« J'irai avec un garçon que j'aimerai pour de bon, disait-elle. Sinon, pourquoi ? »

Pourquoi. Voilà une question que je ne m'étais pas posée avant par exemple, pourquoi. J'avais d'abord commencé. Et, comme je dis à Ethel, je ne le regrettais pas, ça ne m'avait pas fait de mal, et c'était toujours ça de pris.

En tout cas je serais bien « allée » avec Frédéric. Mais il ne le demanda pas. Et il partit au Service. Et il fut tué.

*

L'été finissait. Il tombait des seaux. Plus de virées, plus d'étoiles. Et Joël partit à son tour. Je commençais à entendre parler d'armée

autour de moi, c'était signe que je vieillissais.
Patrick partirait peut-être avant l'âge, on l'avait
averti, s'il s'avérait irréductible il serait envoyé
comme volontaire. Il s'était fait piquer pour
la première fois : vol de voiture. C'était prévu
depuis longtemps, par tout le monde, on le lui
avait assez dit et répété dès son plus jeune âge,
qu'il finirait mal; d'autant qu'il n'était pas
tellement malin, il ne manquerait pas de se
faire pincer aussitôt qu'il bougerait. C'est ce
qui arriva. Ils le gardèrent le temps de lui donner une leçon, et nous le rendirent, le père
s'était laissé attendrir. Mais il était tenu à l'œil
et au moindre écart il n'y couperait pas, dit le
juge, qui était bien gentil et coulant à mon
avis, moi j'aurais été plus vache je l'aurais
envoyé casser des cailloux, ce qui en plus lui
aurait fait du muscle : car ce dur, manque de
chance, ne poussait pas, ni en hauteur ni en
largeur. Ça le rendait furieux et on ne faisait
rien pour l'apaiser ni les uns ni les autres,
Attends je lui disais quand il s'agissait d'attraper quelque chose sur une étagère, je vais
te le donner tu ne pourrais pas l'avoir; dans
ces cas-là j'étais toujours prête à lui rendre
service, ainsi que les jumeaux, qui le dépas-
saient de toute l'épaisseur de leurs cheveux
crêpés et d'une demi-largeur chacun, ce qui
les mettait à trois contre un, Patrick ne s'avisait
plus d'y toucher. Il devenait de plus en plus

évident qu'ils n'étaient pas « de notre sang »,
car alors que les vieux étaient plutôt fluets
eux c'étaient de vrais balèzes, ils devaient descendre de Gengis Khan. Pourtant ils étaient
toujours parmi nous, on ne parlait plus de
l'Affaire de Substitution : les vieux avaient
renoncé, ils s'étaient rendu compte qu'il n'y a
que les pistonnés qui parviennent à faire valoir
leurs droits, ceux qui sont placés pour faire
parler d'eux dans les journaux; eux ne connaissaient personne et ne savaient pas comment
s'y prendre; la vie n'est qu'injustices et faveurs,
c'est toujours les mêmes qui ont tout. Les jumeaux étaient donc là et ne se laissaient pas
monter sur les pieds, d'ailleurs on ne les voyait
qu'à peine, ils étaient en apprentissage et le
reste du temps menaient leur vie avec leurs
amis à eux; ils étaient pressés de travailler pour
de bon, et de se tailler, et ne s'en cachaient pas,
« les ingrats », disait la mère, en effet ils ne
seraient pas très rentables. La paix soit avec
eux. Rentable Patrick l'était encore moins, dès
qu'on essayait de le faire boulonner il fallait
rembourser les dégâts au lieu d'empocher la
paye. Comme disaient les vieux c'est vraiment
pur dévouement d'avoir des gosses pour ce que
ça rapporte quand c'est grand. Fallait prévenir
avant que c'était un placement à intérêts, ré-
pliquait Patrick, à juste titre; je serais pas
venu.

« Trop tard, dit Nicolas, maintenant t'es là et tu te fais chier, et tu vas te faire chier toute ta vie, surtout avec la bobine que t'as.

— Dis donc toi je t'ai demandé l'heure ? » Mais Patrick n'allait jamais plus loin que les paroles avec Nicolas, qui était bien plus méchant que lui.

« Louche pas dit Nicolas, t'es encore plus moche.

— Moi je louche ? »

Ça c'était le genre d'inventions de Nicolas ; une fois il avait réussi à faire croire au père qu'il boitait.

« C'est pas vrai, dit Patrick, qui s'était mis devant la glace.

— Mais puisque tu louches tu peux pas le voir quand tu te regardes eh grand con !

— Nicolas, je t'ai pas déjà dit de pas parler comme ça ? dit la mère.

— Si, tu me l'as déjà dit », répondit calmement Nicolas en continuant à dessiner. Il dessinait un tableau rouge intitulé en grosses lettres : « Le Roi la Reine et les Petits Princes Décapités par Moi. » Je pensais que peut-être il serait un grand artiste, mais il me dit qu'il serait un Grand Assassin.

« Tu verras, me disait-il. Attends seulement que je sois juste aussi grand que toi. Je ferai d'abord une chose, et ensuite je serai un Grand Assassin. »

Nicolas était pressé de grandir. Tous les matins il se mesurait et faisait une marque dans le mur. Il mangeait des quantités de soupe, parce qu'il avait entendu dire que ça fait grandir. Je n'ai jamais vu un gosse manger autant de soupe.

Il écrivit : Je tuerai mon père. Je tuerai ma mère. Je tuerai mon frère. Je ne tuerai pas ma sœur Jo je l'aimerai fort et je l'attacherai avec des cordes, elle ne sortira plus jamais. Je lui apporterai à manger des grands biftecks.

Moi aussi quand j'étais môme j'écrivais des trucs sur des bouts de papier. Plus maintenant. Je restais des heures devant la fenêtre en faisant semblant de coudre, à regarder tomber l'eau, et les gens entrer et sortir à la grille. Maintenant on voyait la grille, on avait changé de bloc; on avait obtenu un appartement plus grand, pour cause d'accroissement de famille : dix vivants sans compter Catherine, et un en germination, même deux si le médecin avait raison; on ne le croyait plus trop après l'autre fois mais ils le mirent sur la demande, autant en profiter. On avait quatre pièces. Je me mettais dans la chambre du devant et je faisais semblant de coudre, je regardais la pluie, et les gens. C'était des gens. De la pluie. J'étais vide. Les blocs en face ne me faisaient plus peur, les garçons ne me faisaient plus brûler, les choses se plaçaient à leur place je ne sais pas, ça ne m'entrait pas

dans le cœur comme avant, en me blessant et
me faisant mal. Mal, bon mal, reviens ! Ma tête
était comme un bloc de ciment. Comme on
dit : le temps est bouché, ça ne se lèvera pas
de la journée. Ça ne se lèvera pas. J'arrivais
dans une espèce de cul-de-sac de ma vie. Et du
reste en me retournant je voyais que c'était un
cul-de-sac de l'autre côté aussi. Où j'allais ?
« Où vas-tu ? — Nulle part. — D'où viens-tu ?
— De nulle part. » Jo ! Jo de Bagnolet ! Ma
voix dans un passage de grand vent m'appelait
dans le désert, je ne répondais pas. « Où est la
petite Jo ? » Je me voyais moi-même toute
petite, passant et repassant la grille, avec mon
filet. toute petite fille au milieu des grandes
maisons, et où j'allais comme ça si faraude ?
Nulle part. Quand on meurt on revoit toute sa
vie d'un coup, je mourrais, seule au milieu des
grandes maisons. Maisons maisons maisons maisons. Comment vivre dans un monde de maisons ? « C'est toi Guido qui fais ces maisons,
toi qui es né sur les collines ? » Les phrases
allaient et venaient, il y en avait qui sortaient
de derrière moi, je me retournais, personne.
Jo ! Je me retournais, et personne. « Si on a
une âme on devient fou, et c'est ce qui m'arrive. » C'est probablement ce qui m'arrivait je
devenais folle, mais non je devénais morte, c'est
ça devenir une grande personne cette fois j'y
étais je commençais à piger, arriver dans un

cul-de-sac et se prendre en gelée; un tablier à repriser sur les genoux éternellement. L'homme est composé d'un corps et d'une âme, le corps est quadrillé dans les maisons, l'âme cavale sur les collines, où ? Quelque part il y avait quelque chose que je n'aurais pas parce que je ne savais pas ce que c'était. Il y avait une fois quelque chose qui n'existait pas. La petite Jo passait et repassait la grille, avec son filet, j'arrivais presque à la voir. Je regardais la grille jusqu'à ce que mes yeux se brouillent. Il tombait des seaux. « Ça ne se lèvera pas. »

Je regardais regardais la grille. Je voyais arriver Guido, venant me chercher; on s'en ira; où ? « un jour le monde serait tout comme ça, Dieu veuille que je sois mort ce jour »; il y avait une fois quelque part qui n'était nulle part, Guido venait me chercher pour m'emmener nulle part. Ou Frédéric. Mais Frédéric était mort, on ne pouvait pas revenir là-dessus. « Il faut vivre dans l'avenir. » Mais il n'y en a pas.

Les Lefranc ne pleuraient pas quand ils pensaient à Frédéric; ils étaient en colère. Ils étaient fous de colère. Frédéric était mort pour rien. Tué de face au combat, ou bien comme un chien par derrière. En tout cas, pour rien. Et cela les rendait fous de colère. J'aimais les écouter. Marc, qui avait seize ans maintenant, disait à son père : ça ne peut pas continuer, ça ne continuera pas comme ça avec nous vous

verrez ! Oui disait son père sans se fâcher, je ne
peux rien dire contre ça; je ne peux rien vous
dire; c'est à vous. Si vous pouvez faire mieux...
  Ethel ne m'avait jamais emballée avec ses
clairs dimanches, à tout prendre s'il faut faire
un dimanche alors autant me faire sauter par
n'importe qui n'importe où. A l'ombre. La
nuit. Dans le faisceau des phares, en plein, bra-
qués par un abruti tout d'un coup quand on
ne s'y attend pas, les cris des filles surprises, les
rires des types ces bêtes stupides, éteins imbécile ! La nuit qui mélange tout. Désordre et
ténèbres. Comment ça se fait, quand j'y repense,
que je vois, au-dessus de ma tête, toujours le
ciel et les arbres, et jamais la figure du garçon
qui pourtant devait bien se trouver là, entre le
ciel et moi ? est-ce qu'ils étaient transparents ?
peut-être, peut-être, en tout cas ses clairs dimanches Ethel pouvait toujours se les remballer
— Mais la colère, c'était autre chose, la colère
ça me parlait, ça me faisait bouger, c'était le
seul truc qui m'aurait fait sortir de ma gelée
et réchauffée, qui arrivait encore à me faire
mal; et ça venait de loin; de toujours; si c'était
la colère je pouvais en être. Je me baladais
avec Marc, je l'accompagnais, je l'aidais, je
l'écoutais fulminer, râler, et Nicolas qui sentait
la poudre nous filait le train, portant le pinceau
à colle comme si c'était une mitrailleuse, dans
les rues le soir aux Lilas. On allait tout casser.

En fait on ne cassa rien du tout sauf les pieds des copains, une fois les élections finies avec un résultat minable tout retomba comme un soufflé refroidi, plus d'affiches ni d'écritures sur les murs, Marc fut invité à la modération et affecté aux sonnettes et aux travaux d'aiguille comme il disait, il l'avait assez saumâtre, et de mon côté j'avais maintenant les jumelles sur les bras, le médecin avait eu raison cette fois, plus la mère couchée avec une double phlébite et défense de bouger; elle en avait pris un sérieux coup, à tel point qu'ils se demandaient s'ils finiraient la douzaine, ce qui, quand on est à onze, est pourtant bien tentant. Pour la consoler le père lui fit cadeau du fameux mixeur, enfin elle put réussir la première mayonnaise de sa vie, et comble de luxe, au lit. Comme elle se faisait suer, Chantal en rentrant de l'école venait s'asseoir sur le plumard et lui faisait la lecture de ses illustrés, dont elle s'était entichée et ça lui fatiguait la vue de les lire elle-même, aussi Chantal se dévouait, c'était son principal travail et quand j'entrais dans la chambre avec le plateau à dîner j'entendais « Mon amour ne me quitte pas je ne peux pas vivre sans toi ! » ou « Va-t'en femme perfide tu as gâché ma vie ! » Le reste c'était pour moi, les basses besognes, durant que ces dames se livraient aux pures joies de l'esprit, que ces messieurs venaient juste à temps pour flairer leur assiette,

pas contents si l'odeur n'était pas assez riche,
et que les petits, qui savaient d'où tombait la
bonne soupe, se reposaient sur moi avec une
touchante confiance impossible à décevoir.
Quand je voyais cette population je me disais
qu'il fallait vraiment être un pêcheur de lune
pour l'imaginer autrement que le cul sur une
chaise devant un plat rempli ou une image qui
bouge. Merde. Même Marc n'arrivait pas à
sortir du truc, noyé qu'il était dans les tâches
quotidiennes. La trappe s'était refermée. S'était-
elle jamais ouverte, ou si j'avais rêvé ? Quand
j'avais une seconde je regardais la grille en
essayant de me rappeler mes états bizarres
d'avant, et au lieu de ça je pensais rageusement
à foutre le camp, sans même me poser la question où, juste filer de cette baraque et ne plus
être la bonne de tout le monde, comme lisait
Chantal dans la chambre à côté, « Ma chérie,
je vous emmènerai loin de ce monde sordide
et nous irons tous deux vers le bonheur ! »,
c'était le fils du Grand Tanneur qui venait
épouser la fille du contremaître et l'emmenait,
renonçant à la succession paternelle, dans sa
petite Panhard sport. Je jetais un rapide coup
d'œil à la grille, et puis j'entendais crier les
jumelles, c'était l'heure du biberon, en route
pour le bain-marie; d'ailleurs elles étaient gen-
tilles, ce n'était pas leur faute à elles non plus.
   Le père et moi on était allés, comme la mère

était au lit, les prendre à l'hôpital où on les avait gardées quelques jours pour des soins. En rentrant on passa par la loge des gardiens, c'était la coutume quand on rentrait un nouvel enfant, en somme un nouvel habitant.

C'étaient des vraies miniatures ces petites filles, j'en avais jamais vu de si petites, et je dois dire assez mignonnes. C'étaient des jumelles identiques, on nous avait expliqué, ce qui voulait dire qu'elles se ressembleraient toute leur vie comme des gouttes d'eau, et qu'elles auraient les mêmes maladies.

J'en avais une dans les bras, le père avait l'autre. Les gardiens, et les bonnes gens qui passaient prendre leur courrier, les trouvaient vraiment mignonnes, et tellement pareilles.

« Et laquelle est Caroline et laquelle Isabelle ? » demanda la femme du gardien.

Papa et moi on se regarda. On ne savait plus. On avait oublié, et comment savoir maintenant. On avait l'air fin, tout le monde se fendait la pipe. Le gardien nous offrit le Martini pour fêter ça; ils aimaient bien voir la Cité s'agrandir, tout ça c'était un peu à eux, leur petit troupeau.

Devant les boîtes à lettres il y avait un jeune homme blond, que je n'avais jamais vu; il était tourné vers moi, et me regardait, bouche bée, d'un air complètement ahuri. C'était Philippe. Mais je ne le savais pas.

VII

Philippe. Mon amour. C'est peu à peu qu'on
se mit à s'aimer. Ou plutôt en réalité on s'était
aimés du premier instant qu'on s'était vus,
comme on s'en rendit compte après, on s'en
souvenait parfaitement tous les deux, ce jour-là,
devant les boîtes à lettres, lui l'air ahuri, moi
avec les jumelles. Les gardiens. Le père. Le
Martini. Et si le coup de foudre n'avait pas
éclaté immédiatement, c'était à cause du plus
bête des malentendus : me voyant avec des
nouveau-nés, rentrant de l'hôpital, accompagnée
d'un homme, Philippe n'avait pas supposé une
seconde que les bébés n'étaient pas de moi. Je
me souvenais de la façon dont il m'avait regardée, et qui tout de même m'avait paru bizarre;
c'est qu'il pensait : une fille si jeune, avec un
homme si vieux, et déjà des jumeaux! ça l'avait
stupéfié. « Et t'étais belle ! dit-il. Tu peux pas
savoir comme t'étais belle, avec ce bébé dans
les bras, si petit, minuscule comme toi, qu'est-

ce que tu veux ça paraissait logique qu'à ton
âge tu aies des bébés en miniature ! » Il m'avait
même trouvé un air de jeune accouchée, heureuse et épanouie, et il avait été jusqu'à se dire,
Quel dommage que ce ne soit pas moi, à la
place de ce vieux ! Il avait été jaloux du père !
C'est pas croyable. Et moi qui ne savais rien
de tout ça ! Bref il avait nettement battu la
campagne, et dès le départ, non ce que ça peut
être bête la vie. Résultat, tout un hiver perdu,
où chaque fois qu'il me croisait il me faisait un
salut discret et respectueux Bonjour Madame,
et moi pendant ce temps-là je le trouvais timide
ce garçon je me disais ma parole il est dingue
celui-là, il doit être idiot, et je continuais à
mariner tristement sans me douter que le
bonheur était juste sous mon nez. Jusqu'au jour
où il poussa l'audace jusqu'à me demander, toujours respectueusement, comment allaient mes
bébés si charmants, Caroline et Isabelle, il avait
même retenu les noms. Caroline et Isabelle
allaient bien elles nous avaient rapporté le Prix
Cognac et Philippe alla encore mieux quand il
comprit que c'était mes sœurs, il n'arrivait pas
à y croire il me demandait si j'en étais bien
sûre il me le fit répéter quatre fois et alors là,
il ne perdit pas une seconde pour m'inviter à
aller au cinéma, et pour le soir même, et moi
je n'hésitai pas plus à laisser tomber toute la
bande, d'ailleurs je n'étais plus si emballée, on

se connaissait tous maintenant sur toutes les
coutures ça devenait une routine, et puis on
avait mal passé l'hiver, l'hiver les virées c'est
moins marrant, on n'a pas où aller, on ne peut
pas se foutre à poil, c'est mouillé par terre, on
a froid, et je dois dire que quand on arrivait
à dégotter une piaule pour se mettre, eh bien,
ce n'était pas la même chose, entre quatre murs,
on s'ennuyait. Il nous fallait la Nature, en
définitive.

Je me demande même si au fond ce n'était
pas la Nature qui faisait tout, c'est difficile à
dire, je ne peux pas aller jusqu'à prétendre
que je me faisais baiser par les étoiles mais il
y a de ça. Il y a de ça, et la preuve, que sans
étoiles, avec une ampoule électrique, ça perdait
la plus grande partie de son charme, ça prenait
même un côté moche, on buvait trop, et moi
quand je bois trop je sens moins, et le lendemain je suis de mauvais poil. Bref pour en
revenir à Philippe on alla au cinéma, et il me
prit la main.

En revenant, devant ma porte il me dit qu'il
m'aimait.

« Je t'aime », me dit-il.

Là-dessus il se taille. J'avais failli dire
« Quoi ? » parce qu'il avait parlé si bas que je
n'étais pas sûre d'avoir bien entendu, mais il
était déjà parti. Il habitait le bâtiment F, moi
le C. Pendant une heure il m'avait embrassée

devant ma porte, il me disait au revoir et pour
me dire au revoir il m'embrassait encore, il me
serrait contre lui à m'étouffer, j'attendais à tout
instant qu'il me dise « Viens », et au lieu de
ça il me disait « Je t'aime » et filait, me laissant
plantée sur le seuil comme un pain. Il n'était
vraiment pas comme les autres celui-là non
plus; d'une façon il rappelait Frédéric, au moins
par ses mœurs.

Avec les garçons, on ne s'embrassait presque
pas; juste au cinéma, et encore en se pelotant.
On n'aimait pas tellement. Et puis Philippe
avait de la barbe, il piquait sérieusement, j'avais
la figure tout en feu.

On avait rendez-vous le dimanche suivant;
décidément, je laissais tomber les copains.

Ce dimanche-là, il m'attendait devant la
grille avec une 2 CV. Il venait de l'acheter,
d'occasion et à crédit, et, à ce que j'ai compris,
exprès pour moi, pour me sortir. Ça avait l'air
de dire qu'il avait l'intention de me sortir un
certain nombre de fois, sinon il ne se serait pas
mis dans de tels frais.

Pourquoi, avec Philippe, rien que de marcher l'un près de l'autre, les doigts emmêlés,
c'était quelque chose de merveilleux ? Pourquoi
lui ? Et lui se demandait Pourquoi elle ? On
n'en revenait pas ni l'un ni l'autre, que ce soit
justement nous. Ce qui était extraordinaire,
c'est qu'on ait réussi à se rencontrer. Penser

qu'on habitait justement dans le même endroit, quand des endroits il y en a tant. L'Amérique. Même sans aller si loin il aurait pu être à Sarcelles par exemple, alors là c'était foutu je le voyais jamais, j'aurais ignoré même son existence, et lui la mienne. Rien que l'idée d'une pareille catastrophe nous épouvantait rétrospectivement : qu'on ait pu se louper, continuer à vivre chacun de son côté comme des idiots, car c'était bien comme des idiots qu'on avait vécu tous les deux jusqu'à maintenant pas la peine de se le dissimuler, et d'ailleurs on l'avait toujours senti dans le fond de nous-mêmes, sans savoir que ce qui nous manquait à chacun, c'était l'Autre. C'est pour ça que j'étais si souvent triste, que je pleurais sans raison, que je tournais en rond sans savoir quoi faire de moi, regardant les maisons, me demandant pourquoi ci pourquoi ça, le monde et tout le tremblement, cherchant midi à quatorze heures et rêvassant dans le vide derrière une fenêtre, c'est pour ça c'est pour ça, et c'est pour ça aussi que j'allais avec des tas de garçons sans être regardante sur lequel, puisqu'en tous cas ce n'était pas le bon, rien que pour me passer le temps en attendant le seul qui existait sur la terre pour moi et qui maintenant chance extraordinaire était là, près de moi, les doigts emmêlés aux miens, et la preuve que c'était bien vrai c'est que pour lui, j'étais la seule qui

existait sur la terre, qu'il avait attendue en
faisant l'andouille d'une autre façon de son
côté et qui maintenant était là, les doigts emmêlés aux siens, ouf. Dans le fond la vie est
drôlement bien faite quand on y pense, tout
arrive qui doit arriver, il y a une logique. Dé-
sormais on savait pourquoi le soleil brillait,
c'était pour nous, et c'était pour nous aussi que
le printemps commençait, justement aujour-
d'hui, quand on faisait notre première promenade ensemble, la première sortie de notre
amour.

Il s'arrêtait et me disait : « Ecoute, un
oiseau ! » Le chant de l'oiseau s'élevait dans
l'air frais, dans le ciel lumineux. C'était notre
oiseau. C'était notre soleil. Notre aubépine en
fleur, et il y eut notre violette, notre pousse de
muguet, encore rien qu'une pointe verte à
peine visible mais on la vit, c'était la première;
la nôtre. La première du monde. A nous pour
toujours. Ah !

On marchait, dans la forêt encore presque
nue, on marchait la main dans la main avec
sous les pieds le tapis des feuilles anciennes. On
n'était pas pressés, on avait tout le temps. Tout
le temps. Le temps aussi était à nous puisqu'on
avait l'éternité devant nous. Tout nous appar-
tenait. C'est fou. Tous les trois pas on s'arrêtait
pour se regarder.

« Jo...

— Philippe... »

Nos regards, nos noms, ça aurait suffi à notre bonheur, presque suffi, si on avait pu, si on avait eu la force, j'aurais tant voulu que cela suffise, qu'on reste toujours à jamais ainsi, les yeux dans les yeux comme deux miroirs face à face, c'était tellement plus beau si seulement c'était possible, mais, le corps est exigeant, nous voulions nous toucher, et quand nous nous touchions nous voulions nous étreindre, on titubait, ivres d'amour, on allait en titubant vers un bonheur fatal, qu'on n'avait pas la force de refuser malgré la Perfection de ce que Nous possédions déjà et qu'il eût été si doux de prolonger encore. Mais, impossible, on ne tenait plus debout, nos jambes ne voulaient plus nous porter, la terre nous accueillit comme un grand lit de noces, il était temps, on n'en pouvait plus.

« Jo...

— Philippe... »

Rien que nos Noms, ça contenait Tout.

« Philippe.

— Jo.

— Ah ! »

Dès qu'il m'eut prise je fus heureuse. Depuis le temps aussi, depuis qu'il m'avait plantée sur mon seuil, en feu. Quatre jours. Une femme ne peut pas attendre. J'étais follement heureuse. C'était lui, c'était bien lui, tel que j'en avais eu le pressentiment, il était fait pour moi, il avait sa place marquée depuis toujours. Après il me dit :

« Bien sûr j'aurais aimé être le premier... »

Il me fit un petit sourire un peu triste, il jouait machinalement avec des feuilles de l'année dernière.

« Tu es si jeune... j'avais presque espéré. »

D'abord il me croit mère, ensuite il me veut vierge, il est merveilleux mon Philippe. Je lui caressai la joue, il s'était détourné un peu fâché.

« Je t'aime. »

Il jeta ses feuilles à tous les vents.

« Tant pis ! J'aurais dû venir encore plus tôt c'est ma faute. »

Maintenant je comprenais Ethel. Dans le fond elle avait raison. Il faut se garder pour le garçon qu'on aime pour de bon comme ça y a pas d'histoires.

« Philippe...

— Jo ! » Il me serra passionnément. « Ça ne fait rien dit-il, maintenant je t'ai, oublions le passé, c'est aujourd'hui que la vie commence. Je vais les effacer », murmura-t-il dans un souffle, en revenant.

Tout l'après-midi on resta là. On ne se fatiguait pas. On voulait toujours. On croyait qu'on ne pouvait plus, et puis on voulait encore. On s'était enroulés dans la couverture qu'il avait prise dans la voiture à tout hasard je suppose. On se voyait. Il était beau, chaque

muscle de son corps était beau, j'avais envie de
tout embrasser. Lui aussi. Le froid nous chassa.
Le soleil descendait. Notre soleil nous quittait,
même l'amour ne pouvait empêcher le soleil de
se coucher. Ma peau était ravagée par ses bai-
sers et ses morsures, je gardais sa trace et ça
me faisait chaud.

On titubait encore mais cette fois c'était de
fatigue, on était comme soûls. Quand on aime
on est toujours soûls, ou bien c'est de manque
ou bien c'est de trop. Alors on s'aperçut qu'on
crevait de faim : on avait oublié de bouffer. On
n'en revenait pas : fallait-il qu'on s'aime ! Mais
alors maintenant qu'est-ce qu'on la sautait !
L'amour ça donne faim; ça enlève la faim, ça
donne faim, l'amour ça fait tout, l'amour c'est
la vie au grand complet. « Qu'est-ce que tu
voudrais faire dans la vie ? » — Aimer. Aimer,
voilà, voilà ce que j'aurais dû répondre, à
l'Orientation. Qu'est-ce que je voulais faire
dans la vie ? Aimer. Dans le fond c'est tout
simple.

Avant de remonter dans la voiture il m'attira
à lui, et prit tendrement mon visage entre ses
deux mains. « Je les ai effacés ? » me dit-il.

Je faillis demander qui. Dieu sait si c'était
loin de mes pensées ! Dans mes pensées il n'y
avait plus que Philippe. Philippe Philippe.

« Philippe...

— Jo... »

Il m'embrassa.

« Alors je les ai effacés ?

— Tu parles... d'abord ils ne tenaient pas tellement...

— Jo...

— Et puis d'ailleurs j'ai pas de mémoire.

— Mais de moi, tu en auras ? dis ? tu ne vas pas m'oublier moi ?

— Toi c'est pas pareil. Toi c'est toi.

— Jo.

— Philippe.

— Et puis je ne te laisserai pas le temps, de m'oublier ! Je ne te lâche plus. Tu sais, me dit-il avec une infinie tendresse, que je ne te lâche plus ? C'est pour de bon tu sais.

— Philippe.

— Jo.

— Philippe.

— Ma chérie. Tu es à moi ?

— Oui.

— Pour toujours ?

— Philippe mon amour.

— Jo ma chérie. Comme on va être heureux ! »

« Heureux ? »

« Et comment qu'on va être heureux. Tu as du mal à y croire hein ma pauvre chérie ? Tu n'as pas eu une bien bonne vie, hein ? mon pauvre petit amour. Mais c'est fini maintenant c'est fini je suis là, ne sois pas triste, je suis là tu verras, je suis là maintenant. Rien ne t'arrivera plus. »

Il avait vingt-deux ans. Il était monteur de télévisions. Il venait d'entrer dans une grosse boîte, d'avenir. Il gagnerait bien sa vie. Ils étaient cinq enfants, l'aînée des filles était mariée, la cadette travaillait, dactylo, les deux derniers seraient bientôt débrouillés, la mère était morte. Il n'aurait pas beaucoup de charges. Il habitait encore chez eux mais il avait fait une demande de logement et déjà constitué un dossier. Il avait fini son Service, il était revenu l'automne dernier, c'est pourquoi je ne l'avais pas vu avant. Il n'en parlait jamais de là-bas. Il ne voulait pas en parler Il ne voulait plus plus y penser jamais. Ni à ça ni au reste, toutes les salades il en avait marre, il ne voulait pas s'en mêler. De rien de tout ça. Seulement à être heureux et c'est tout, la seule chose qu'on a à faire dans la vie c'est d'être heureux, il n'y a rien d'autre rien, et pour être heureux il faut s'aimer, être deux qui vivent l'un pour l'autre sans s'occuper du reste, se faire un nid où cacher leur bonheur et le préserver contre toute atteinte.

Quand je lui dis que j'étais enceinte, et ça n'aurait pas dû être une surprise c'était fatal que ça arrive avec nos méthodes on ne pouvait jamais se quitter et même on remettait ça dans l'ardeur du moment il n'y a rien de plus dangereux cette pauvre Liliane me l'avait bien dit, ça ne lui avait d'ailleurs pas réussi toute sa connaissance elle était morte et d'une sale façon la pauvre fille, ça m'avait foutu la trouille, mais quand je le dis à Philippe, il me souleva de terre et me fit tourner en l'air comme un fou. D'un côté j'aimais mieux ça.

« Depuis le jour où je t'ai vue avec un bébé dans les bras j'en ai envie criait-il. Tu peux pas savoir ! J'ai envie de te faire un enfant depuis ce jour-là ! »

Il me dit que chaque fois qu'il m'avait fait l'amour il y avait pensé, il se répétait Je lui fais un enfant, je suis en train de lui faire un enfant, et ça le rendait fou de joie, de bonheur, de plaisir. Ça le faisait jouir de me faire un enfant. Eh bien, il était fait, il n'avait pas joui pour rien.

Il n'attendait que ça dit-il, pour qu'on se marie, pour de bon. Et vite maintenant. Ce n'était pas pour le principe il s'en fichait il avait les idées larges, mais il voulait que je sois encore toute fine quand je sortirais de la Mairie, avec lui à mon bras ; toute belle, dans une belle robe qu'il allait m'acheter, pas blanche bien sûr ça n'avait pas d'importance ces mômeries, mais une belle robe, ce que je n'avais jamais eu. Il voulait une belle image de ce jour-là, pour la garder dans son cœur.

On achèterait un berceau. Il les regardait déjà dans les vitrines. Il ne voulait pas d'un vilain lit, soi-disant qui sert pour plus tard, tant pis pour la dépense, il voulait un berceau un vrai, avec le truc en mousseline qui pend autour. Bleu. Non, rose, parce qu'il préférait une petite fille. En effet, c'est plus pratique.

En tout cas pour la prime on serait dans les délais.

Toute l'affaire c'était de se loger, et à toute pompe maintenant; il faudrait activer la demande, on pourrait chercher aussi par nos propres moyens, sa boîte lui consentirait sûrement un prêt, avec des délais pour rembourser, et de toute façon on avait le Crédit; il y avait des coins où on commençait à trouver à présent. Je lui indiquai Sarcelles.

1960.

Notes

Words and phrases given in exact translation in Harrap's *New Shorter French and English Dictionary* are not listed. The numbers refer to pages.

7. **Il s'en fallait . . . gaine**: 'It was a good fortnight away; she should tighten her girdle'.

   c'est pas de veine: 'we're out of luck'.

   la prime: 'the bonus'. An additional bonus payment made to parents who had their first child either before the mother was 25 or within the first two years of marriage. As we learn on p. 85, the Rouviers had tried to qualify for this, but been frustrated by a miscarriage. Josyane, however, will later qualify.

8. **pont de la Toussaint**: a break of several days before and after All Saints' Day (November 1st).

   Elle était . . . descente d'organes: 'I remember her as always having something wrong with her; something had slipped in her insides'.

9. **aller au pain**: 'go and get the bread'. Cf. p. 20 *Va vite au lait*: 'Quick, go and get the milk'.

   papa lui en fila une bonne: understand *correction*. 'Gave him a good hiding.' Note the anticipatory use of *en*, replacing the noun. Formal syntax would require *lui fila* – or *lui administra* – *une bonne correction*.

   et comment . . . et en effet: 'going on about how she had cried out on seeing her little girl all naked and surrounded by blocks of ice and how the doctor had told her that that was the only way to save her and of course it was'. The omission of *et de dire* before *comment* renders the unstoppable nature of Mme Rouvier's reminiscences, just as the laconic *et en effet* – 'quite so' – expresses Josyane's view that this rather exaggerated way of surviving her first few weeks of life is typical of Chantal. Josyane has an understandable and well-observed dislike for this delicate, over-sensitive, rather snuffly little girl who has deprived her of what little attention her mother might otherwise have perhaps been able to give her.

10. **la maternelle**: *l'école maternelle*, 'the nursery school'. The generous provision of state nurseries was another way in which the French government tried to encourage more people to have children.

11. **Cité**: *cité ouvrière*, 'housing estate'. When Christiane Rochefort was interviewed in the left-wing newspaper *Libération* on 31.1.61, she said that she had met the model for Josyane at Bagnolet, the suburb to the east of Paris where the action of *Les petits enfants du siècle* takes place. Ms Rochefort added that the original Josyane 's'appelait Fatima, c'était une petite Algérienne. Elle se posait des problèmes, mais elle avait tellement de travail avec ses frères et sœurs qu'elle ne pouvait pas s'en sortir. Plus tard, Fatima n'aura qu'une idée: c'est de se barrer ("clear off") avec un gars pour s'en sortir'.

A comment on this model for Josyane – who is mentioned by name later (p. 32) – which no reputable critic would make in print but which it is not unusual to hear in conversation with respectable members of the French middle class is that many Arab families come to live in France solely in order to benefit from the family allowance system.

salle d'eau: bathroom, usually with a shower and bidet rather than a bath.

tous garés: 'all parked, in bed and out of the way'. The silence which reigns in Josyane's *Habitation à loyer modéré* after 22.00 hours is a fortunate product of the French laws against *le tapage nocturne*, making a noise at night. On p. 22, the neighbours are thus legally entitled to bang on the wall to protest against the noise the Rouviers make when Catherine does not want to change beds.

12. **de l'albumine**: 'kidney trouble'.

13. **où ti fère**: *où se trouve le petit frère?* Just as English babies used to be found under gooseberry bushes, in France they were said to appear in cabbage beds.

les traites: 'the hire-purchase instalments'.

se mit à gueuler . . . y serait encore: 'started to shout that she'd let herself be conned, those bastards, he said, they go down on their knees to get you to take their rubbish, they more or less say they're making you a present of it, and then as soon as you get the least little bit behind hand they come back to take it away. If he, Dad, had been at home the telly would still be there'.

14. **le PMU**: *Pari Mutuel Urbain*. A system of betting on horses, run by the State, but fulfilling the same functions as the Pools in England.

15. **prises de bec**: 'quarrels'.

   l'apéro: *l'apéritif*.

   Le père prolongeait l'apéro: 'Dad stayed late at the pub'.

   C'était un jeudi après le déjeuner: see note to *les beaux jeudis* p. 28.

16. **le patronage n'était pas obligé**: 'I didn't have to go to the youth club or other Church activities'.

17. **qui a gueulé et sur qui**: 'who bawled who out'.

18. **c'est comme si j'essayais d'avaler un tampon jex . . .**
   pour rentrer . . .: 'it's as though I was trying to swallow a Brillo pad. I got fed up. Mlle Garret said that I was posing as a "free-thinker", and if it hadn't been for walking home by myself . . .'.

20. **quand elle aura pas quelque chose**: *quand elle n'aura pas*: 'the day she (= Chantal) doesn't have something wrong with her (that will be a miracle)'.

21. **la mère pouvait bien aller au marché tous les jours**: 'there was no reason why Mum shouldn't go to the market every day' (instead of having a fridge).

   les Trente-Trois pour Cent: the 33% of the basic wage, the official rate per child at which the family allowance is calculated.

   l'Impôt cédulaire: literally, scheduled income tax. In this context, the tax allowance for each additional child.

rabioter avec quelques ménages: 'do a little charring on the side' (but not so much that she ceased to qualify for *salaire unique*, the allowance given to families with only one wage earner).

22. **se faire sauter le crâne**: 'knock her brains out'.

    mets-leur z'en: 'let them have it'. From *en remettre*, 'to pile on the agony, to exaggerate'.

    Te laisse pas faire!: 'Don't let them get away with it'.

    Papa, énervé à force, lui fila une beigne, ce qui le fit comme d'habitude rigoler: 'Dad, really annoyed, clipped him on the side of the head, which had the usual effect of making him snigger'.

24. **les cinq petites lignes**: French children do their school work in exercise books ruled into squares – each with five lines – into which they have to fit their letters.

26. **Redressement**: *Maison de Redressement*, 'Borstal'.

    Arriérés: 'home for backward children'. Christiane Rochefort's ironical comment that these threats showed how the Rouvier parents were becoming quite expert in education was picked up by Barbara Wright when she commented in *The Times Literary Supplement* for 3.10.75 that 'In *Les petits enfants du siècle*, there is not a single working-class family worthy of bringing up a sensitive child'.

    roses trémières: 'hollyhocks'.

27. **les cuisiner**: *Les petits enfants du siècle* was published at the height of the war (1954–1962) by which Algeria won independence from France. The French paratroop regiments were notorious for the brutal interrogation methods which they used to extract information from Algerian suspects.

    leur en faire baver: 'make them suffer, put up with'.

    qui on se le demande: 'I can't imagine who'.

28. **mercurochrome**: disinfectant put on wounds, generally of a reddish-brown colour and fulfilling many of the functions of iodine.

    qui avaient attaché: 'which had stuck to the pan'.

les beaux jeudis: 'lovely Thursdays'. When the educational system established in France in 1882 excluded all religious teaching from state schools, children were given a free day each Thursday in order to enable their parents to give them whatever religious training they thought appropriate. In 1972 this was changed to Wednesday.

avec un métro de retard: 'a tube train behind everybody else' (in mental development).

29. **emballeurs, conditionneurs**: 'packers'.

     perceurs: 'drillers'.

     pistoleurs: 'paint-gun operators'.

30. **en virée**: This reminder that her parents were once young, happy and in love takes on an additional meaning at the end of the book when Josyane seems in danger of turning out just like her mother.

     toutou: 'little doggie'.

     clébard: 'dog'.

31. **j'avais beau en remettre**: 'it was no use my piling on the agony' (about the dogs coming to eat them up at night).

32. **piqua son accès**: 'had her fit'.

34. **elle m'a collé un zéro**: 'she gave me nought'.

35. **devaient sans doute confondre**: 'must have got mixed up' (between her ample bosom and a pair of pillows).

36. **Il se marrait**: 'He was roaring with laughter'.

     Nicolas mordit . . . sèche-assiettes: 'Nicolas bit Chantal in the calf, and really sank his teeth in, judging by the way she screamed, and then Mum went full length on the floor, taking the tea-towel with her'.

37. **se seraient payé ma tête**: 'would have laughed at me' (for being sensitive to nature).

39. **lui fichaient le cafard**: 'made him feel miserable'.

42. **Tao**: Josyane's rendering of the Italian *ciao*, "bye".

     panneau Montreuil: 'the Montreuil road sign'. Montreuil-sous-Bois is just to the east of Bagnolet.

45. **j'encaissais mal**: 'I wasn't going to take it'.

     se les roulent: 'have a good time'.

Y a qu'à donner des commissions à Patrick: *Il n'y a qu'à donner, vous n'avez qu'à donner*: 'All you need do is make Patrick do the shopping'. As on pages 64 and 65, Christiane Rochefort shows by an almost phonetic transcription of spoken French that native speakers now make little difference not only between *il* and *y* but between *ils* and *y*.

46. **Morpion**: 'Stupid nit'.
    Vous les lopes: 'You pansies'.
    La ferme: 'Shut up'. *La = la bouche, la gueule.* Cf. *Ferme ta gueule.* On p. 55, *on la bouchait*: 'we belted up'.
    le gruère: 'Gruyere'.

47. **Belles fréquentations**: 'Nice people you know'. Patrick recognises an Arab name, and adds racial prejudice to his other qualities.
    Y compris . . . cons: 'Including the stupid bastard on the telly, who was being asked how far it was from Sparta to Lacedaemon and who was standing there like a right nit while ten million other stupid bastards were laughing their heads off at him'. Sparta and Lacedaemon are different names for the same place, and simple trick questions of this kind are very frequent in one of the most popular shows on the French television, *Le jeu de dix mille francs*.

48. **noyé dans la rogne**: 'lost in my bad temper'. Josyane's treasure is, of course, the memory of the afternoon she spent with Guido.
    des vrais détersifs . . . roi des Huns: 'real detergents, these characters, nothing grows where they've been, as they taught us at school about Attila the Hun'.

51. **lui biner . . . rein**: 'to hoe her garden, repair her rabbit hutches and come home with blisters and a stiff back'.
    un sacré emmerdement: 'a bloody nuisance'.
    mécano qualifié . . . le plus: 'a qualified mechanic, unbeatable in his knowledge of distributors, pinions and pumps, his head under the bonnet every Saturday afternoon and polishing away like crazy every Sunday morning, competing with Mauvin to see whose car could shine brighter'.

52. **que je te brique**: 'let me polish you'.
     la Colonie: *colonie de vacances*. Institutions set up before 1939
     to enable children of industrial workers too poor to go on a
     family holiday to spend some time in the country.
     J'avais les jetons: 'I was terrified'.
     c'était une vieille traction ce qu'on avait: 'we had an
     old front-wheel drive Citroën'. A very successful fifteen horse
     power car, first marketed in 1935.
     la Tenue de Route: road-holding qualities. As Josyane
     observes, it needed them.
     Chaque fois . . . rougissait: 'Every time one of these
     lunatics (i.e. the other drivers) stuck his filthy mug out of his
     ironmongery to tell Dad what a bloody idiot he was, his
     eldest son blushed'.

53. **en accélérant victorieusement au virage qu'il prit à la
     corde à gauche**: 'accelerating victoriously round the bend
     well over to the wrong side of the road'.
     on tapa le cent dix en silence: 'we did our 110 kilometres
     an hour in silence'.

54. **Chantal**, etc. A useful opportunity for a head
     count: Josyane, Patrick, the twins, Chantal, Catherine,
     Nicolas. Seven so far, four still to come (p. 86, Martine, p.
     111, Pascal, p. 144 and p. 146, the real Rouvier twins,
     Caroline and Isabelle). With Mum and Dad, nine in the car.
     At one time, Citroën actually made a *traction avant* called *la
     quinze familiale*.
     ma moyenne: 'my average' (number of kilometres travel-
     led per hour).

55. **exécuta . . . ça grinçait toujours**: 'did a U turn that it
     was a good thing Patrick didn't see, and told us that the gears
     always crashed in this model'.

56. **péquenots**: 'peasants, country bumpkins'.

58. **Et les vitesses . . . automatiques**: '"And you can't
     crash the gears even if you're an absolute idiot," he pointed
     out as Dad changed into third, "seeing as how they're
     automatic"'.

59. **nous les casse**: 'is a bore'. *Casser les pieds à quelqu'un*: to bore someone. The twins then go into their *javanais* – a form of slang characterised by inserting 'av' or 'va' in certain words. Thus *jeudi* becomes *javeudavi*.

60. **fortiche**: 'tough, brave'.

61. **pieu**: 'bed'.
    cloches: 'drips, stupid clots'.

62. **En tout cas . . . ailleurs**: 'in any case not to the point of making me so fed up that I went to look for it somewhere else'.

63. **l'Aston et sa direction . . . devant**: 'the Aston Martin with its steering always going wrong, the Jaguar and its blasted shock-absorbers, the Alfa-Romeo always needing tuning, the 220 SL Mercedes, now, that's a real car for you, but you need to go to Germany every time it loses a bolt, and as for American cars, they're not worth mentioning, just a load of old rubbish, and when you get down to it, the best is still the little French car, the most qualities in the smallest space, and cheap to run as well, you get a hundred kilometres to five litres in the *Renault quatre chevaux*, and so convenient with its engine in the back because then you can put your luggage in the front'.

64. **alors on dégustait**: 'then you were for it'. *Déguster*: to taste, to consume. Here used ironically.
    bousillé: 'wrecked, messed up'.
    y a jamais que de la tôle à redresser: 'there's only bodywork to put right'.

65. **trois mille je veux dire trente francs**: 'three thousand, I mean thirty francs'. One of the first measures taken by de Gaulle after the official establishment of the Fifth Republic on September 28th 1958, was the introduction on January 1st 1959 of the *nouveau franc* or *franc lourd*. This was done by deciding that 100 old francs would become 1 new franc. However, even now, many people still count in old francs, and in 1959–60, the problem of adjustment was even greater.

As this conversation illustrates, the French talk not about miles to the gallon but about the litres of petrol needed to travel 100 kilometres. Thus when the owner of the 2 CV says here that he does '5 litres au cent', and calculates that his journey has cost him 30 francs, we know that he has come 600 kilometres and that petrol costs one franc a litre. Since there are 1.1 gallons in 5 litres, and 62.1 miles in 100 kilometres, he is getting 56.5 miles to the gallon. Papa has also come 600 kilometres, but his *Traction* needs 10 litres to do 100 kilometres. He can work out that the trip has cost him 60 francs, and starts to divide by 9 to find how much it has cost per head. However, $60/9 = 6.66$ is too much for him.

66. **Reprises**: acceleration, from a standing start.
    bille en tête: 'a head start'.

67. **faire l'andouille**: 'play the fool'.
    ça ne braque pas: 'not a good lock, hard to steer, difficult to turn'.
    ça arrache: 'it tears away'. A rare example of English and French having the same idiomatic turn of phrase. Cf. the campaign slogan for safety belts: Belt up; *Bouclez-la*.

68. **Y en a . . . tintin**: 'There are more and more of them going for scrap, and soon you won't be able to get spare parts'.
    la DS: the new version of the *Traction Avant*, also known as the *Déesse*, brought out in 1956.
    ça bouffe: understand: *de l'essence*. Heavy petrol consumption.

69. **Neuf là-dedans, et à l'aise**: 'Nine you can get into it, and in comfort'. Not altogether the impression Josyane gives on p. 54.
    déjà cheval: 'already drawn and heavy looking'.

70. **têtards**: 'tadpoles'. The French are clearly fortunate in having a month of August in which one can find tadpoles a few days after picking blackberries (cf. p. 56), just as Madame Rouvier also seems able to have children rather faster than most normally constituted women. The *franc lourd* was not introduced until January 1959 so the convers-

ation on pages 64–65 cannot have taken place until August of that year. Mum still has to have Martine, Pascal and the twins between August 1959 and the moment when – late in 59 or early in 1960 – Josyane tells her story. However, Christiane Rochefort is not strong on chronology. If Josyane is seventeen in 1959, she must have been born in 1942, during the German occupation and before the institution of the full family allowance system gave her parents the incentive to have her.

71. **rappliqua dans les jupes**: 'ran back into Mum's skirts'.
    conasses: 'stupid women'.

72. **qui s'était fait planter un môme par un duc**: 'who had got herself pregnant by a Duke'.

73. **avoir l'air plus verni**: 'to seem luckier'.
    on était aux carrières: 'we had gone to look at the quarries'.

75. **une bonne 203**: 'a good Peugeot 203'. After the fascinating discussion on the weather, the conversation has now gone back to motor cars. Whatever reservations some critics had about the political implications or literary value of *Les petits enfants du siècle*, everyone agreed that Christiane Rochefort had successfully achieved the same end as Flaubert had had in view in his *Dictionnaire des idées reçues*: to show how stupid people were by reproducing the clichés characterising so much ordinary conversation. As Josyane observes on p. 76, people are most interesting when they talk about their work, something which they rarely do.
    On en tape une en attendant: 'Should we have another drink while we wait?'
    Ils refluèrent vers le 32: 'They went back to number 32'. Presumably, the number of the room in the hotel where the bar is.

77. **braquer**: 'to annoy, get on the wrong side of'.
    On démarra, en broutant, sans que Patrick l'ouvre: 'The car jerked as we set off, but without Patrick saying anything' (i.e. about his father's bad driving).
    une de tirée: 'another good time over'.

79. **J'en ai attendu des 115!**: 'Did I wait for a lot of number 115 buses!'

81. **la coopé**: *la coopérative*, 'the Co-op'.
     le plateau d'Avron: just to the west of Bagnolet.

82. **Il n'y a pas que Tao, j'en ai ma claque**: 'It's not only Tao (= ciao = Guido), I'm fed up'.
     Nicolas partit au prévent. Sa cuti était positive: 'Nicolas went off to the *préventorium*' (special hospital for people threatened with tuberculosis). 'His skin test (*cuti-réaction*) was positive' (indicating that he was in danger).

83. **La mère ne sachant . . . sensitive**: 'Mum, not knowing whether I was pulling her leg or not, looked at me out of the corner of her eye to try to find out, but I'd started to look stupid and to dry another plate, so she couldn't make up her mind. When she was actually pregnant, she was quite sensitive about the baby on the way'. Christiane Rochefort, through Josyane, here hints at another reason for hyper-fertility in certain women: their psychological need to continue to have babies in spite of – or because of – their inability to cope with the children they already have once these are beyond the toddler stage.

84. **sans parler des couches qui étaient courues d'avance**: 'without mentioning the nappies, which you could be sure of getting'.

85. **le Prix**: on p. 148, this is referred to as the Prix Cognac, a misspelling of the prizes given since 1920 by the privately established Fondation Cornacq-Jay. There is one such prize for each Département, given to the first couple aged under 45 to have nine children.
     aplatie entre deux cloques: 'squashed between two lumps,' i.e. pregnant bellies.

86. **derrière la machine à laver, qui trépignait en attendant d'être fécondée**: 'behind the washing machine (i.e. the woman who was going to use the family allowance on her next child to buy a washing machine) who was quivering

with impatience to be made pregnant'.

On panachait: 'We were alternating' (between boys and girls).

cette patate: 'stupid girl'.

je repassai . . . à la mère: 'I was relieved to hand the running of the house back to Mum'.

87. **recommencer la prochaine**: 'to start again (i.e. complaining) next time'.

88. **elle n'entravait rien**: 'she didn't understand a thing'.

de la rattraper: *de lui faire rattraper son retard*, 'to enable her to catch up'.

90. **Je vous emmerde . . . il n'avait pas tort**: '"Up yours", I replied, "it's none of your bloody business". "Go and get stuffed", added Patrick, and he was right about that.'

91. **quèque chose**: *quelque chose*.

92. **bicots**: slang word for Arabs.

à force: 'of necessity, inevitably' (since they had no choice).

Patrick amorça un lever de chef: 'Patrick tried to rise majestically to his feet' (as though he were already *le chef de famille*).

93. **Un ange passe**: 'An angel's going by' i.e. There was an embarrassed silence.

Personne pipa . . . pas: 'Nobody spoke. Dad was fiddling with the knobs on the Telly. The angel went by again. It was walking up and down, on sentry duty'.

94. **Certificat**: *Certificat d'Etudes Primaires*, school leaving certificate, taken in the 1950's at the age of fifteen.

Orientation: 'careers advisory service'.

96. **bobineuse**: 'winding machine operator'.

99. **Sarcelles**: a suburb to the north-east of Paris, further out than Bagnolet.

100. **d'autant plus . . . pour cause d'âge**: 'all the more so since my stomach had been rather sensitive for some time now, because of my age'. Josyane is starting to have her periods.

le PC: *l'autobus de la Petite Ceinture* – the inner circle bus.

gratter le fric: 'scrape together enough lolly'.

101. **glander**: 'hang around'.

102. **T'as tapé dans l'oeil à Didi**: 'You've made a hit with Didi'.

103. **du fond de teint**: 'make-up foundation'.
    me les rebroussa en star: 'put them up as though I was a film star'. Very fifties.
    me posait: 'gave me an edge'.

104. **en me taillant . . . en rentrant**: 'simply travelling a whole day by public transport, at the risk of getting my head snapped off when I got home'.

106. **pour Didi c'est réglé**: 'I fixed it with Didi'.

108. **une gourde**: 'stupid girl'.
    La moto ne convenait pas très bien: 'the scooter wasn't really the place' (either, to be annoyed because I had just been seduced; or, to be physically very comfortable just after losing my virginity).

109. **me faire la gueule**: 'to be cross with me'.
    les mouflets: 'the kids'.
    J'étais en train de prendre un bain . . . à ce sujet: Josyane is taking a bath as a somewhat naïve attempt to avoid getting pregnant.
    sa ferraille: 'his gear'.

111. **je plantais tout**: 'I dropped everything'.

112. **Ils étaient . . . une milice**: 'They had been overtaken by their eggs, it's a stupid idea to have so many, you can see it coming. They don't think enough about the future. Once the children reach a certain age, parents ought to get a gun licence and set up an armed police force'.

113. **L'Huma-Dimanche**: *L'Humanité-Dimanche*, the Sunday version of the Communist newspaper, *L'Humanité*.

114. **comment le pourraient-ils . . . eux-mêmes**: 'how could they (educate their children, *former leurs enfants*), they haven't been educated themselves'.
    en direction de bobonne et du fricot: 'towards their nursey (i.e. wife) and hot supper'.

116. **vachement bandante**: 'you really make a man rise'. Cf. *bander*: 'to have an erection'.

117. **Merde alors**: 'Bloody Hell'. Josyane's uncomplicated attitude to sex allows little sympathy with the moral remorse associated with the *post coitum omne animale triste* feeling.

119. **J'ai acheté une conduite**: 'I'm a reformed character'. *Conduite* equals 'behaviour'.

    le reste en bandoulière: literally, 'the rest held together by a bandoleer'. Disorganised, not knowing what to do.

120. **une jupe de Prisunic en Vichy formidable**: 'a marvellous gingham skirt from Woolworths'.

    agglutiné devant le petit commerce comme des paquets de moules je suis polie: 'stuck in front of the window of the local grocer's like a packet of mussels, and I'm being polite' (in not saying *des paquets de merde*).

121. **Le père René . . . arrivage**: 'when old René found himself back in bed with his old woman on that famous Saturday evening after the Bazaar and the refreshing dip in the woods with me, she must have really got up his nose. I don't know which of these old women she is, you can't tell one from the other'.

124. **même une lavette . . . choses**: 'even an absolute drip must feel that he's got something between his legs, it explained a lot of things'.

126. **Et pour s'offrir une môme . . . aussi**: 'And if you wanted to go to bed with a girl, I couldn't see any way apart from getting married beforehand, and I suppose there must have been a town hall provided close by as well, in any case I hope so'. Since the separation of Church and State in 1905, the only marriage ceremonies with legal force in France are those conducted by the local Mayor.

    Valéry: Paul Valéry (1871–1945), Stéphane Mallarmé (1842–1898), Victor Hugo (1802–1885), Paul Claudel (1868–1955) are all French poets, and there is some contrast between the variety of their work and the monotony of the architecture of Sarcelles.

127. **ragazza**: 'girl', in Italian.
     piccoline: 'little girl'. From the Italian *piccolina.*
     mon noir aux yeux: 'my mascara on'.
     ma seule bien: 'my only good skirt'.
     faire le tapin: 'to be on the look-out for men'.
     me débarbouiller: 'clean myself up'.

128. **Désordre et ténèbres**: not qualities associated with
     Valéry's work, which is characterised by great order and
     clarity. He was also interested in architecture which re-
     flected these qualities (cf. *Eupalinos ou l'architecte*, 1923), while
     Josyane – and behind her Christiane Rochefort – obviously
     prefers an older, dirtier world, rather than the glass and
     concrete rationalism of Sarcelles.

129. **changé en statue de sel**: like Lot's wife, who turned to
     look back when leaving Sodom and Gomorrah (*Genesis*, 19:
     26).

132. **folailler**: 'to fool around'.

133. **et avec des gants . . . le principe**: 'and with kid gloves
     on as well, none of the girls was available, I remembered,
     and how he'd told her to get lost in terms I wouldn't dare
     repeat, and ended up by saying: "Dad says it's not my job" –
     you wonder what his job was anyway. In any case, Mum was
     weak and Dad said that this was how things were'.
     ce biberon: 'bottle'. Mum is remembering how difficult it
     was to prepare a feed for the baby under these conditions.

134. **l'âge de raison**: seven or eight years old, the age at which,
     in a Catholic country, children are considered old enough to
     distinguish between right and wrong and are therefore ready
     to take their first Communion.
     un pouce: *pax*. A break in the argument.

136. **toujours ça de pris**: 'I'd had that, anyway'.
     Et il partit au Service. Et il fut tué: 'And he went off to
     do his military service. And was killed' – almost certainly in
     Algeria, in the 1954–1962 war between the Arab *Front de
     Libération Nationale* and the French army. The FLN won, and
     Algeria became independent in 1962. It was not unknown for

certain French officers to behave towards known Communists among their conscripts as King David did towards Uriah in II *Samuel*, 11: 15.

137. **Mais il était tenu ... couperait pas**: 'But the police were keeping an eye on him and the first time he stepped out of line, he would be really for it'.

138. **de vrais balèzes**: 'great hulking characters'.

les pistonnés: 'people with influence'. Cf. *se faire pistonner*: 'to have strings pulled for you'.

rentables: 'profitable'.

Rentable Patrick ... venu: 'Patrick was even less profitable, as soon as you tried to make him work you had to pay for the damage instead of pocketing his wages. As the parents said, it's pure devotion having children nowadays when you look at what you get for them when they've grown up. You should have told me before I came that you wanted a return on your investment replied Patrick quite justifiably. Then I wouldn't have come'.

140. **dix vivants**: 'ten living, without counting Catherine'. That is to say: Mum, Dad, Josyane, Patrick, the twins, Chantal, Nicolas, Martine, Pascal.

sur la demande: 'on the application form' (for a larger flat).

141. **si faraude**: 'so pleased with myself'.

143. **autant me faire sauter ... n'importe où**: 'might as well let anyone make love to me anywhere'.

Ethel ... remballer: 'Ethel could stick them where she wanted'.

Nicolas qui sentait la poudre nous filait le train: 'Nicolas who could feel gun-powder in the air, trotted after us'.

pinceau à colle: 'paste brush'. They are going round sticking up notices for the Communist Party, in the area of La Porte des Lilas, in north-east Paris.

144. **Marc ... saumâtre**: 'Marc was told to adopt a more moderate line and put in charge of doorbells and need-

lework, as he put it, and was pretty fed up'. *Saumâtre*:
literally, 'brackish'. The opposition of the French Communist Party to the Algerian war was often fairly moderate.
Never, for example, did it use its influence in the merchant
seamen's union to disrupt communication between France
and North Africa.

Comme elle se faisait suer: either, 'as she was having a
treatment that made her sweat' (for medical reasons); or
(slang), 'as she was fed up'.

145. **je me disais . . . bouge**: 'I told myself that you really
needed to believe in Father Christmas to imagine them
doing anything but sitting on their arses in front of a full
plate or just watching the telly'.

le bain-marie: to warm up the bottle.

146. **On avait l'air fin**: 'We did look bright' (ironic).

se fendait la pipe: 'was roaring with laughter'.

148. **Prix Cognac**: see note to p. 85.

155. **qu'est-ce qu'on la sautait**: Either: 'how hungry we were
through missing meals' or: 'how often we had it off', 'how
often we made love'.

157. **là-bas**: Algeria, where the war was still on.

**toutes les salades il en avait marre, il ne voulait pas
s'en mêler**: 'all the rubbish, he was fed up with it, wanted
nothing to do with it'. This total refusal of politics in favour
of the private life reflects Christiane Rochefort's own
attitude, but was clearly not something which would endear
Les petits enfants du siècle to more politically minded critics.

158. **foutu la trouille**: 'made me terrified'. Liliane, Josyane's
one informant on birth control, has clearly got herself
pregnant and died as a result of an illegal attempt at
abortion.

159. **Sarcelles**: see note to p. 99. Josyane has clearly forgotten
how horrified she was when she went there in search of
Guido, just as she does not realise how like her parents she
has become in thinking about *la prime*. Jacqueline Piatier
commented in *Le Monde* for 11.3.61. that 'l'originalité de ce

roman noir est de finir en romance, en romance dont le point d'orgue est un point d'ironie'. I can see the sentimental song (*romance*), but because of the problems of a first-person narrative, the irony is rather ambiguous. In the last chapter, Josyane changes from an acute observer into what a Marxist would call an 'alienated consciousness': someone who does not understand what is happening to her, and who invites us to rebel against society solely by being an uncomprehending victim. Unless, of course, Christiane Rochefort believes in Romantic Love, which seems improbable when you read *Les Stances à Sophie*.